D0269743

Wedden van wel!

Van Mirjam Oldenhave verschenen ook:
Een vriendin met vuisten
Pizza Pikante
Erin geluisd
Donna Lisa (bekroond met een vlag en wimpel 2000)

Tweede druk 2001

ISBN 90 269 9394 3

Unieboek BV, Postbus 97, 3990 DB Houten
www.unieboek.nl

Tekst: Mirjam Oldenhave
Omslagillustratie: Alice Hoogstad
Omslagontwerp: Frederike Bouten
Opmaak: Zetspiegel, Best

Mirjam Oldenhave
Wedden van wel!

Van Holkema & Warendorf

1

Floor had meteen een hekel aan het hoofd van de school. Ze vond hem een arrogante brulbeer: hij keek haar niet eens aan toen hij een hand gaf.
'Ah, u bent de nieuwe invaljuf!' riep hij. 'Ik zal iemand halen die u rond kan leiden.' Zijn mobiel ging. 'Met Verkerk!' Ondertussen wees hij naar een deur, stak zijn hand op en verdween.
Lomperik, dacht Floor. Het liefst zou ze meteen weglopen, lekker terug naar huis. Zenuwachtig klopte ze op de deur die hij had aangewezen.
'Binnen!'
Er stond een spijkerdunne vrouw bij het bord. Ze was *HOERA* aan het schrijven, onder een getekende vlag.
'Dag, ik ben Floor Smid. Ik kom voor groep acht b.'
'Och hemeltjelief, acht b!' De vrouw stak een knokige hand uit. 'Mieke de Graaf.'
Hemeltjelief? Floor kreeg het steeds benauwder.
Mieke legde het krijtje weg. Er stond nu *HOER* op het bord. 'Kom, ik zal je rondleiden,' zei ze.

Het was een mooie, ruime school met een grote aula middenin.
'Omdat dit een school voor speciaal onderwijs is, zitten er maar tien tot vijftien kinderen in elke groep,' vertelde Mieke. 'Iedereen krijgt veel aandacht en extra begeleiding.'
Ze passeerden een reusachtige man in een trainingspak. Hij was wel twee koppen groter dan Floor.
'Hallo, ik ben Floor Smid.'
'Björn Barok.'
Zijn hand voelde aan als een honkbalhandschoen.
'Ze komt voor acht b.' Mieke keek hem veelbetekenend aan.
Björn floot tussen zijn tanden. 'Sterkte!' zei hij, terwijl hij doorliep.
Ik kán nog naar huis, dacht Floor. 'Vertel eens over acht b?' vroeg ze.
Mieke zuchtte. 'Eerlijk gezegd is het een probleemklasje. Groep acht werd te groot, toen hebben we de klas in tweeën gesplitst: acht a en acht b. Acht a loopt nu lekker, maar met acht b is geen land te bezeilen. Hun meester werd al na één week overspannen.'
'O, dat kan gezellig worden,' zei Floor bang.
'Misschien valt het mee.'
Het klonk niet echt geruststellend.
Mieke deed een deur open en maakte een uitnodi-

gend gebaar naar binnen. 'Sorry dat we nu zo weinig tijd hebben. Ik zal je vanmiddag verder bijpraten. Héél veel sterkte.'
Er stonden negen tafeltjes, zo ver mogelijk uit elkaar. Op het bord had iemand met veel talent een gorilla op sandalen getekend. Achter in de klas stonden een kast met een stereo-installatie en een tafel met een computer. Verder was het kaal en ongezellig.
Floor zette haar tas neer, controleerde of de stoel punaisevrij was en ging zitten. Op haar bureau lag een lijst met pasfotootjes en namen. Vijf meiden en vier jongens.
Ze zou ijzig streng zijn, geen millimetertje ruimte geven. En dan, als het goed ging, de teugels voorzichtig iets vieren. Kom maar op, probleemklasje!

Suzanne vond haar nieuwe school honderd keer leuker dan de vorige. En dat terwijl ze er pas twee weken op zat.
'Ze zit op een school voor anders-lerende kinderen,' zei haar moeder als mensen ernaar vroegen.
Maar niet heus, dacht Suzanne dan. Want het was een school voor slecht-lerende kinderen. En zij zat in acht b, een klas met níet-lerende kinderen.
Elke dag werd ze gehaald en gebracht door meneer Kozijn, de tuinman van haar ouders. Vreselijk vond

ze dat, want alle andere kinderen mochten lekker met het busje.
'Het is voor meneer Kozijn een kleine moeite,' had haar moeder gezegd toen ze erover klaagde.
'Maar het is zo gezellig in het busje!'
'Je zit toch niet op school voor de gezelligheid?'
Nou, tegenwoordig toevallig wel. Vandaag kregen ze weer eens een nieuwe invalkracht. Die van gisteren was al vóór de middagpauze weggelopen. Een grote baardaap met dikke voeten in sandalen.
'Jullie zijn stapelgek!' had hij geroepen. 'Echt stapelgek!' Bij 'stapel' sprong er steeds een kloddertje spuug naar buiten.
Suzanne was niet gek. Ze kon heel goed denken, alleen niet op commando.

De deur zwaaide open. Met zijn negenen dromden ze naar binnen en liepen druk kletsend naar hun plaats.
'Goedemorgen allemaal!' zei Floor.
'Ik heb nog nooit de hik gehad,' zei een meisje met een petje.
'Ik ben Floor Smid. Ik kom invallen omdat jullie meester ziek is.'
'Echt wel!' riep een dikke jongen die achter de computer was gaan zitten. 'Iedereen heeft wel eens de hik gehad!'

‘Hallo, mag ik even de aandacht!’ Floor tikte met haar sleutels op het bureau.
‘Maar ik dus niet.’ Het meisje met het petje ging op haar tafel zitten.
Snel keek Floor op de namenlijst. Joshi heette ze. Op de foto droeg ze ook een petje. Een ander meisje stond op. Ze had geblondeerd haar dat in een ingewikkelde knot boven op haar hoofd zat. Ze droeg schoenen met hoge hakken waar ze niet op kon lopen. Tot Floors ergernis zette ze muziek aan.
‘Nee, wacht... Zet eens uit!’ Floor knipte met haar vingers en wees naar de cd-speler.
Het meisje lachte. ‘Als baby wel! Alle baby’s hebben af en toe de hik.’
Ze heette Francis, zag Floor op de lijst.
‘Shit!’ De jongen bij de computer gaf een harde klap op de tafel. ‘Nu heb ik nog maar één leven over. Dat red ik nooit!’
‘We gaan beginnen met de les.’ Floor hoorde zelf hoe zwak dat klonk.
‘En trouwens, ik hoef ook nooit te boeren,’ riep Joshi. Ze gooide haar petje in de lucht en ving het op met haar hoofd.
‘Nee, omdat je zoveel scheten laat,’ zei een jongen.
‘Sprak de schetenkampioen,’ antwoordde Joshi.
‘Ja, is het nou afgelopen?’ riep Floor.

Een slordig uitziend meisje ging op haar stoel staan, ademde diep in en spuugde met een grote boog haar kauwgom in de prullenbak, minstens tien meter verderop.
'Hé, hé!' riep Floor streng.
Het meisje stak haar handen in de lucht alsof ze olympisch kampioen was en ging weer zitten.
'Jongens en meisjes, dit kan toch niet...'
De meisjes schoven hun stoelen rond Joshi's tafel en gingen rustig zitten kletsen. De jongens waren aan het kaarten.
Ik besta niet voor ze, dacht Floor verbijsterd. Ik zit voor aap. Letterlijk, trouwens.
Ze draaide zich om en veegde de gorilla van het bord.
'Wie had die gemaakt?' vroeg ze.
'Ja hoor!' riep Francis. 'Willem-Alexander op een ligfiets. En hij groette je zeker?'
'Nee sukkel, hij kent mij toch niet?' antwoordde Joshi.
Iedereen lachte.
Floor haalde diep adem. Wat moest ze in vredesnaam doen?
De dikke jongen gooide vloekend zijn laatste kaart op tafel. Floor liep erheen en pakte de kaarten af. Ze protesteerden niet. Iemand raapte zelfs een kaart voor haar op die ze had laten vallen. Ze draaide zich

om en hoorde hoe een nieuw pakje kaarten werd geschud. Wat een nachtmerrie!
Ze zette de muziek uit, maar zodra ze zich omkeerde, zette iemand hem weer aan.
'En nu is het verdorie afgelopen!' brulde ze. 'Luisteren, allemaal! Francis, zet die muziek uit. Onmiddellijk!'
Met hoog opgetrokken wenkbrauwen keek Francis haar aan. 'Waf,' zei ze.
Floor kon nu uit volle borst het Wilhelmus gaan zingen. Of haar kleren uittrekken en naakt op tafel dansen. Of weggaan. Het maakte de klas niet uit. Ze voelde tranen. Weliswaar nog in haar buik, maar ze waren op komst.
Huilen voor de klas? Dat nooit!
Ze ging zitten en keek wanhopig rond. Joshi zat een verhaal te vertellen. De andere meisjes hingen aan haar lippen en schaterden na elke zin. Naast Joshi zat een meisje dat er een beetje deftig uitzag. Ze zat rustig om zich heen te kijken zonder veel te zeggen. Suzanne, stond er achter haar fotootje.

Als ik juf was zou ik ook zo schreeuwen, dacht Suzanne. Maar ik word geen juf. Ik word lekker niks.
'De juf is in haar vorige leven een heel dom kind geweest,' zei Joshi. 'En voor straf werd ze opnieuw geboren als juf.'

'Ik wil in mijn volgende leven stinkend rijke ouders hebben.' Jimila staarde dromerig voor zich uit.
Alsof dat zo fijn is, dacht Suzanne.
'Ja, lekker makkelijk,' zei Joshi. 'Hé Francis, leen me even een honderdje, ik betaal het in mijn volgende leven terug!'
Francis schoot overeind. 'Volgend leven? Moet dat dan ook nog?'
Suzanne moest lachen. Joshi bekeek haar aandachtig en zei toen tegen Francis: 'Zij lacht zo leuk.'
Joshi was de baas, dat had Suzanne meteen in de gaten gehad. Niet de meester of de juf, maar Joshi bepaalde wat er gebeurde.
'Lach nog eens?' vroeg Francis vriendelijk.
'Alsof ze dat zomaar kan!' riep Joshi. 'Je zegt toch ook niet: "Verslik je eens?"'
'Ja kijk, ze lacht!' zei Francis.

Als ik wegging, zouden ze het niet eens merken, dacht Floor.
De meisjes zaten nu elkaars hand te lezen.
'O, Jimila!' riep Joshi. 'Jij krijgt later zes kinderen!'
'Kijken, kijken,' riepen de anderen.
Jimila had een donkerbruine huid, maar de binnenkant van haar hand was lichtbeige. Gewillig liet ze

hem zien. Ja, ze waren het allemaal eens: Jimila kreeg zes kinderen.
'Hé Robbie, je zult je best moeten doen. Jullie krijgen zes kinderen,' riep Francis tegen de dikke jongen, Robbie dus.
Er werd luid gejoeld. Jimila moest ook lachen. Robbie stak zonder op te kijken zijn middelvinger op en kaartte stoer verder.
Floor liep naar de meisjes toe. 'Jimila, mag ik jouw rekenschrift even zien?' vroeg ze zo vriendelijk mogelijk.
Joshi gaf een keiharde gil. 'Jouw levenslijn houdt hier al op!'
De meisjes hingen met hun neus boven de hand van Francis.
'Je kunt elk moment dood neervallen,' zei Jimila genietend. Ondertussen pakte ze een verfrommeld schrift uit haar kastje en gaf het aan Floor, zonder haar aan te kijken.
Floor zou haar het liefst een mep verkopen. Maar ze hield zich in, liep terug naar haar tafel en ging het schrift bekijken.
'Als het maar ná de kermis is! Dan vind ik het best,' zei Francis gapend.
Het schriftje was om te huilen. Op elke bladzijde stonden wat getallen gekrabbeld, maar het was volstrekt onduidelijk wat die te betekenen hadden.

'Jimila, zijn dit de sommen die je van de meester moest maken?' vroeg Floor.
'Zoiets, ja,' zei Jimila ongeïnteresseerd.
Moedeloos bladerde Floor door het schriftje. Wat moest ze in 's hemelsnaam beginnen met deze groep?

2

Klokslag twaalf uur stonden de kinderen op en ze verlieten kletsend het lokaal. Kreunend legde Floor haar hoofd op het bureau. Zou ze zich ziek melden?
Er werd geklopt en Mieke de Graaf kwam binnen.
'En?'
'Vreselijk!'
Miekes smalle mond krulde triomfantelijk. 'Zie je wel?'
Floor vertelde hoe het die ochtend gegaan was. Het gezicht van Mieke bleef op *zie je wel* staan. 'Ja, ik zei het al, het is een lastige groep. Kom, we gaan koffiedrinken.'
In de koffiekamer drukte Floor een stuk of tien handen. 'Acht b, hè?' zeiden ze allemaal bezorgd, alsof ze een vreselijke ziekte had.
Björn Barok zat aan de lange tafel met een enorme stapel boterhammen voor zich. 'Vanmiddag hebben ze gym,' zei hij. 'Dat scheelt weer. Dat geef ik namelijk.'

'Waarom hebben jullie in 's hemelsnaam alle moeilijke kinderen bij elkaar in één groep gezet?' vroeg Floor.
'We hebben groep acht aan het begin van het jaar in tweeën gedeeld,' vertelde de meester van acht a. 'De moeilijkheden kwamen pas ná de splitsing. Op de een of andere manier zijn ze hun eigen boontjes gaan doppen.'
'En kunnen jullie ze niet weer samenvoegen en de groep dan op een andere manier in tweeën delen?' vroeg Floor.
'Dat pikken de ouders van acht a niet,' zei Verkerk.
'Maar waarom zetten jullie dan steeds invallers voor zo'n moeilijke groep?' riep Floor wanhopig. 'Daar moet toch juist een vaste meester of juf staan?'
'De andere groepen lopen nu lekker,' zei Verkerk. 'Daar moeten we niet in gaan rommelen.'
Floor zuchtte diep. 'Een probleemklasje dus. En daar leggen jullie je zomaar bij neer.'
Verkerk keek haar aan. 'Misschien moet je je beschuldigingen nog even voor je houden,' zei hij ijzig. 'Wij doen ons best. Ik hoop dat jij dat ook zult doen.'
Floor schoof haar brood van zich af. Wat een onaangename man was hij toch.
Het werd akelig stil.
'Ze hebben regen voorspeld,' zei Mieke na een tijdje. 'Nou, ik merk er nog niet veel van.'

Iedereen keek ingespannen naar de lucht.
Jullie hebben makkelijk praten, dacht Floor. Júllie hoeven niet naar acht b.

Toch ging het na de pauze iets anders.
Precies om één uur stak Joshi haar hoofd om de hoek van de deur. 'Ja, ze is er nog,' riep ze.
De deur ging weer dicht en er klonk druk gepraat op de gang. Net toen Floor erheen wilde lopen, kwamen ze alle negen de klas binnen. Ze gingen zitten, gewoon aan hun eigen tafel en keken naar Floor.
Francis stak een vinger op. 'Heb jij een vriend?'
Ze hadden het er natuurlijk over gehad. Floor dacht koortsachtig na.
Tijd winnen. 'Hoezo?'
'Hoezo wat?' vroeg Joshi brutaal. Ze leunde zo ver met haar stoel naar achteren dat haar achterhoofd bijna de grond raakte.
'Ga eens op vier poten zitten,' zei Floor geschrokken.
Geen reactie natuurlijk.
Ineens werd het haar zwart voor de ogen. 'Het gaat jullie niks aan of ik een vriend heb!' schreeuwde ze. 'Jullie doen alsof ik lucht ben. Dat is het ergste wat je iemand aan kunt doen, weet je dat wel? Wat een rotklas is dit, zeg!'
Trillend van woede keek ze rond.

Niets. Er was niets veranderd. Ze waren niet geschrokken, of zelfs maar een beetje onder de indruk. De meeste meisjes zaten weer achterstevoren, de jongens gingen computeren.
Floor wachtte nog drie seconden. Toen pakte ze haar tas en liep de klas uit. Met bonzend hart bleef ze op de gang staan.
'Hij telt!' hoorde ze een jongen roepen.
Wat telt, wie telt? dacht Floor.
'Hij telt niet!' schreeuwden twee, drie kinderen door elkaar. 'Ze was er maar drie minuten.'
'Natuurlijk telt hij wel, het gaat er toch niet om hoe lang ze er was?'
'Hij telt,' klonk Joshi's stem rustig.
Toen werd het stil.

Hij telt! Opgelucht haalde Suzanne adem. Toch wel zielig voor deze juf. Nou ja, die ging nu lekker naar huis. Kregen ze morgen weer een nieuwe invaller. Wat zou het worden, een man of een vrouw? Gisteren kon het Suzanne niets schelen dat de invaller wegliep. Net goed, stomme brulbeer. Maar die van vandaag, die was aardig. Nu zouden ze er nooit achter komen of ze een vriend had. Suzanne hoopte van wel, een hele lieve.
'Hé Suzanne, kun jij iets?' vroeg Maz ineens.

Het leek wel of ze in een brandende oven stapte, zo heet kreeg ze het. Maz was wel twee jaar ouder dan de rest, hij rookte al en had een leren motorjack. Eerst had Suzanne gedacht dat hij de baas was, maar Joshi stond toch nog boven hem.
'Wat bedoel je?' vroeg ze voorzichtig.
'Iets waar je goed in bent, handstand of zo,' zei Joshi.
'Niet echt,' zei Suzanne.
'Of bijvoorbeeld dat je het Wilhelmus kunt boeren,' legde Francis uit. 'En dan mogen wij jou uitdagen. Dat is een spelletje van ons.'
Suzanne probeerde na te denken, maar er zat pap in haar hoofd.
'Buikspreken, benen in je nek?' probeerde Jimila. 'Brandend watje eten?'
Suzanne schudde haar hoofd. 'Echt niet. Ik kan niks.'
'Meisje, je bent nog te dom om voor de duvel te dansen,' zei Joshi met de stem van een operazangeres. 'Jij past prima in acht b!'
Suzanne schoot in de lach, vooral van de zenuwen.
Joshi bekeek haar rustig. 'Zij is leuk, hè?' zei ze tegen Francis.
Francis knikte.
'Kom je vanmiddag bij mij spelen?' vroeg Joshi.
Suzanne wilde niets liever. Maar ze wist wat haar

moeder zou zeggen: 'Het is nergens voor nodig, je hebt het druk genoeg na school.'
'Hé slome,' schreeuwde Joshi in haar oor. 'Zeg nou maar gewoon dat je komt!'
Suzanne durfde haar niet aan te kijken. 'Ik heb vanmiddag fluitles.'
Joshi tuitte haar lippen en floot een riedeltje.
'Nee, dwarsfluit,' zei Suzanne verlegen.
'Nou, morgen dan.'
Morgen naschoolse opvang... 'Goed,' zei Suzanne snel. 'Als het tenminste van mijn moeder mag.'
Joshi draaide haar petje achterstevoren. 'Waarom zou het niet mogen?'

3

Suzannes ontbijt bleef steken in haar slokdarm. 'Waarom nou niet!' riep ze. 'Ik mag toch spelen met wie ik wil?'
'Het is nergens voor nodig. Je hebt hier vriendinnetjes genoeg.' Haar moeder was slecht verstaanbaar omdat ze haar tanden liep te poetsen. Ondertussen graaide ze papieren, mappen en boeken bij elkaar en propte die in haar tas.
'Dat zijn jouw vriendinnetjes!' riep Suzanne.
Haar vader keek haar een seconde over de rand van de krant aan.
'Wij hebben het idee dat die kinderen niet zo bij je passen,' zei haar moeder. 'Ze hebben andere manieren dan wij!'
'Je kent ze niet eens!' riep Suzanne. 'Het zijn gewone kinderen, hoor!'
'Daar gaat het niet om. Waar is mijn agenda nou.' Haar moeder rende de trap op.
'Waar gaat het dan wel om?' riep Suzanne haar na.

'Suzanne!'
Haar vaders ogen zeiden genoeg: stoppen.
Andere manieren, wat een onzin! Vanmiddag naschoolse opvang...

Iedereen zat al in de klas toen Suzanne binnenkwam. Maz had de invaljuf van gisteren op het bord getekend: een weglopend, bang konijntje dat nog even omkeek. Je kon meteen zien dat het de juf was. Maz was een kunstenaar.
'Suzanne, je moet nog zeggen wie er vandaag komt,' zei Maz. 'Een man of een vrouw.'
Denken op commando... 'Ehm,' begon ze paniekerig.
Joshi deed met haar vingers een snor na.
'Ik denk een man,' zei Suzanne snel.
Maz schreef het op in zijn schrift.
'Jij aapt gewoon Joshi na!' riep Robbie.
'En jij moet je bek houden,' antwoordde Joshi.
Toen ging de deur open.

Floor had de hele nacht wakker gelegen, zwetend en piekerend.
Lekker makkelijk, dacht ze. Tegen een groep die door iedereen wordt uitgespuugd zeggen dat ik het ook een rotklas vind en dan wegrennen. Ze kon het

niet uitstaan van zichzelf. Daarbij, het was geen rotklas, maar een vreemde klas.
Om half vijf, toen het al licht begon te worden, had ze besloten om terug te gaan. Ze had zich niet officieel afgemeld gisteren, dus ze kon er gewoon weer naartoe. Eén ding had ze zich voorgenomen: negeren. Volledig negeren. Alleen antwoorden als ze jou iets vragen. En dan nog zo kort mogelijk.
Op van de zenuwen stapte ze het lokaal binnen.
'Goedemo...' O nee, ook niet groeten.
Vanuit haar ooghoeken zag ze dat ze haar met open mond aanstaarden. Mooi zo, één-nul voor haar. Tevreden ging ze zitten.
'Die kennen we,' mompelde Joshi verbaasd.
Het bleef een paar seconden stil. 'Maar het ís een vrouw!' riep Robbie toen. 'Het is en blijft een vrouw!'
Pardon? dacht Floor.
Opgewonden liep het slordige meisje naar Robbies tafeltje. 'Zij telt niet als vrouw, dit is anders!'
Tamar heette ze, zag Floor. Ze had voor de foto haar haren gekamd.
'Deze telt niet mee.'
Floor gluurde door haar oogharen en keek vervolgens op de namenlijst: o ja, Maz. Op de foto leek hij wel veertien of vijftien.

Hij telt wel, hij telt niet... Waar hádden ze het toch steeds over?
'Nee, niemand heeft het goed.' Joshi liep naar de cd-speler en zette muziek aan.
'Dit is trouwens geen vrouw. Dit is een meisje,' zei Tamar.
O, hartelijk bedankt, dacht Floor. Ze pakte de krant en begon te lezen. Tenminste, die indruk probeerde ze te wekken. Ondertussen repeteerde ze de namen. Robbie, Joshi, Francis, dat waren de drie grote monden. Dan had je nog Suzanne, het rustige meisje en Jimila en Tamar. En bij de jongens: Maz, de jongen die er zo oud uitzag. In de hoek zat een jongen met bruingele tanden die schuin naar voren stonden. Mourad heette hij. Waarschijnlijk vond hij het niet erg van die tanden, want hij lachte breeduit op de foto. En de negende was Nordin, een rustige jongen die de hele dag zat te lezen.

De rest van de ochtend verliep net als de vorige dag: ze voerden geen klap uit en ze deden precies waar ze zin in hadden. Met dit verschil dat Floor nu niets van ze vroeg. De jongens waren aan het kaarten, Nordin las, de meiden zaten te kletsen. Floor deed of ze zat te lezen en ondertussen hield ze haar oren wagenwijd open.

Joshi had een pendeltje meegenomen. Het was een edelsteen aan een kettinkje. Boven aan een vel papier schreef ze *ja* en onderaan *nee*. Om de beurt hielden ze het pendeltje boven het papier en stelden een vraag. De steen gaf dan antwoord, door naar *ja* of naar *nee* te wiebelen.
'Krijg ik binnenkort verkering?' vroeg Francis met de stem van een dominee. Ze had vandaag wel honderd kleine vlechtjes in haar haar. Hoe kwam die meid toch aan die ingewikkelde kapsels?
Gespannen tuurden ze naar het pendeltje. Het was even stil en toen... 'Ja!' gilde Francis. 'Hij zei ja!'
De meisjes juichten en vielen Francis om de nek. Tamar klom op een tafel en sprong op en neer alsof het een trampoline was.
Niks van zeggen, dacht Floor. Als ze door de tafel zakt, zien we wel weer verder.
'Vraag eens met wie?' vroeg Mourad.
'Dat kunnen we beter aan jou vragen!' riep Joshi. Loeiend gelach en twee knalrode koppen.
Floor zag dat Nordin wel glimlachte als er iets geks gezegd werd, maar dat hij bleef lezen, aan één stuk door. Ze kon niet zien wat hij las, omdat het boek plat lag.
Om twaalf uur precies stonden ze op.
'Doei juf!' Joshi gaf een vette knipoog.

Daar kon Floor geen weerstand aan bieden. 'Dag Joshi,' zei ze.
Toen ze weg waren kwam Mieke de Graaf de klas in. 'Dus je bent teruggekomen.' Ze keek Floor een tijdje aan. 'Ging het?'
'Iets beter dan gisteren.' Floor pakte haar brood en liep mee naar de gang. 'Op de een of andere manier boeit die klas me. Er is iets bijzonders met ze.'
'Het is maar wat je bijzonder noemt,' mompelde Mieke.
Björn Barok zat weer achter zijn broodberg. Hij zei niets, maar stak bewonderend zijn duim op toen hij Floor zag. Hij droeg een ander trainingspak dan de dag ervoor.
'Ha, daar hebben we onze jonge heldin!' Brullend en brallend kwam Verkerk binnen. 'Ik zeg nog tegen Henk, ik zeg, die nieuwe invaljuf van acht b laat zich niet zomaar kisten!'
Floor pakte koffie en ging zitten. 'Uit wat voor gezinnen komen deze kinderen?'
'Verschillend,' vertelde Björn kauwend. 'Sommige ouders vinden het wel best zo, andere zijn teleurgesteld omdat hun kind niet goed kan leren, zoals bijvoorbeeld de ouders van Suzanne.'
'Wat voor mensen zijn dat?' vroeg Floor.
Björn haalde zijn schouders op. 'Stinkend rijk, altijd

met hun werk bezig. Ze verwachten veel te veel van die meid.'
Meester Walter van acht a zette een gekke stem op. 'Onze dochter heeft zóveel in haar mars.'
Iedereen lachte.
Floor niet. Björn ook niet, zag ze in een flits.

4

Acht b zat in de pauze meestal op het muurtje bij de parkeerplaats.
'Ze blijft,' zei Joshi. Ze had de klep van haar petje ver over haar ogen getrokken omdat de zon zo fel scheen.
'Ja zeg, lekker makkelijk! Ze zit gewoon de krant te lezen,' zei Jimila.
Suzanne dacht na. Die invaljuf was teruggekomen, dat hadden ze nog nóóit meegemaakt.
'Ze gaat,' gokte Robbie. 'Dit houdt ze niet vol.'
Nordin knikte. 'Ze gaat.'
Maz schreef alles op. Suzanne keek mee over zijn schouder omdat ze zijn letters zo mooi vond. Net of ze gedrukt waren.
'Ze blijft.' Joshi wist het zeker.
Suzanne knikte. 'Noteer voor mij ook maar dat ze blijft.'
'Maar niks doen!' zei Francis tegen Robbie. 'Je mag je er niet mee bemoeien. Als ze weggaat door jouw schuld, telt het niet.'

Robbie ging met zijn gezicht vlák bij haar staan. 'I-è-ie-èk,' wauwelde hij.
Francis trok haar wenkbrauwen op. 'Wat zegt-ie?'
'Dat hij niet gek is,' vertaalde Nordin.
Joshi trok aan Suzannes arm. 'Je komt vanmiddag, hè?'
Suzanne knikte, terwijl het zweet haar uitbrak.

Floor keek naar het konijntje op het bord. Wat een talent! Het was direct duidelijk dat zij het was. Het ontroerde haar dat het beestje er zo bang uitzag. Ze aarzelde even, toen veegde ze het bange mondje uit en maakte er een lachje van.
Keurig op tijd kwam de klas weer binnen. Maz reageerde direct. 'Kan niet.' Hij wees op het bord. 'Konijnen hebben geen lippen.'
Contact, dacht Floor. Voorzichtig nu! 'Maar anders kon ik haar niet laten lachen,' zei ze.
'Natuurlijk wel.' Terwijl iedereen keek veegde hij de mond uit. Hij liet het neusje omhoog krullen, maakte de oogjes lachend en liet twee grote voortanden bloot.
Perfect, dacht Floor. Zo lacht een konijn.
Tevreden fluitend ging Maz zitten.
'Konijnen lachen niet,' riep Robbie.
'Daar is niks over bekend,' zei Nordin ernstig. 'Er be-

staat een kleine kans dat dieren gevoel voor humor hebben.'

'Invallers lachen niet,' zei Joshi met een schuine blik op Floor. 'Konijnen wel.'

'Wanneer dan?' vroeg Robbie.

'Als ze een goede mop horen, nou goed?' Joshi liep naar de radio en zette hem aan.

De meisjes gingen weer pendelen, de jongens doken achter de computer. Nordin ging zitten lezen.

Tijd voor mijn plan, dacht Floor. Ze schoof haar stoel naar achteren en klikte haar tas dicht. Ze keek de klas rond. Het was duidelijk dat iedereen zo onopvallend mogelijk op haar lette. Ze zuchtte dramatisch en liep met grote stappen het lokaal uit. Op de gang legde ze onmiddellijk haar oor tegen de deur.

'Yes!' hoorde ze. 'Iedereen had het fout, behalve deze fantastische Robbie!'

'Jaha, hou je kop nou maar,' klonk een meisjesstem. Francis of Jimila, dacht Floor.

Ze deed de deur weer open en ging neuriënd achter haar bureau zitten. Robbie keek verbijsterd naar haar, alsof hij een bloedend monster zag.

'Hé!' zei hij boos.

Alle anderen moesten lachen.

'Jammer dan, Robbie!' riep Joshi. 'Ze was gewoon piesen.'

'Ja, dag. Weg is weg. Hij telt!' siste Robbie boos.
Floor deed zo gewoon mogelijk. Ze sloeg de krant maar eens om, ze had nu lang genoeg naar pagina één gestaard.
'Gewoon vragen,' fluisterde iemand.
'Juf, waar was je naartoe?' vroeg Joshi.
Floor keek op. Negen paar ogen waren op haar gericht. Dat had ze tenminste bereikt. 'Aan wie vraag je dat?'
'Aan jou natuurlijk.'
Doorgaan. 'Waarom wil je dat weten?'
Joshi gaf een zucht alsof ze dodelijk vermoeid was. Floor glimlachte naar haar en hoopte dat ze niet te veel op het konijntje leek. Toen keek ze weer in haar krant.
'Geef nou even antwoord,' riep Robbie geïrriteerd.
Floor keek hem aan. Zijn toon beviel haar niet. 'Praten wij dan met elkaar?' vroeg ze kil.
'We willen het zo graag weten,' smeekte Tamar.
Floor dacht razendsnel na. 'Ruilen tegen een vraag van mij.'
Onmiddellijk liep iedereen naar Joshi.
Een trainer met haar team, dacht Floor. Ze smiespelden wat, toen draaide Joshi zich om. 'Oké, juf!'
Mooi zo, dacht Floor. En nu niet te veel vragen, dan weigeren ze. Maar ook niet te weinig, dat is zonde.
'Wij eerst,' eiste Joshi.

Floor schudde haar hoofd. 'Ik eerst.'
Het werd doodstil.
Maz keek naar Joshi. Die knikte. 'Oké,' zei hij toen.
Floor haalde diep adem. 'Vraag: waarom willen jullie niet werken?'
Ze keken elkaar lacherig aan. 'Omdat we wel wat beters te doen hebben,' zei Francis met haar eeuwig kauwende kaken.
'Dat accepteer ik niet als antwoord,' zei Floor streng.
Joshi stond op. 'We kúnnen het nu eenmaal niet! Wat zeuren jullie toch!'
Floor schrok van de ernst en de felheid waarmee ze het zei. 'Hoe kom je daar nou bij?' vroeg ze.
'Jammer, maar dat is de tweede vraag!' riep Maz. 'Nu zijn wij aan de beurt. Waar was u?'
Floor schoot in de lach. 'Jullie zijn echte zakenmensen,' zei ze. 'Nou goed. Ik ging niet echt weg. Ik wilde jullie aandacht hebben. Sorry, Robbie.'
Er werd hard gejoeld. Robbie kwam middelvingers te kort.

Suzanne ademde opgelucht uit. Gewonnen! Net goed voor Robbie, die was altijd zo verwaand. Toen Suzanne net nieuw op school was, kreeg zij alle vragen. 'Waarom moest je van je vorige school af?' had Joshi gevraagd, meteen al de eerste minuut.

'Omdat ik niet mee kon komen,' was Suzannes eerlijke antwoord.
Dat had iedereen ook gegokt, behalve Jimila, die dacht dat het door een verhuizing kwam.
'Hoe oud ben je?'
'Twaalf, één keer blijven zitten.' Iedereen had raak gegokt.
'Heb je verkering?'
'Nee.' De helft fout, de helft goed.
En de volgende dag: 'Waarom rij je niet met het busje mee?'
'Omdat mijn oom toch iedere dag langs school komt.' (Nou ja, oom... Ze ging toch echt niet zeggen dat ze een tuinman hadden.)
Dat had niemand goed. De meesten dachten dat ze niet op de route woonde, Joshi dacht dat ze misselijk werd in een bus en Robbie had gedacht dat ze zich er te goed voor voelde.

'En, ben je weer knapper geworden?' vroeg meneer Kozijn 's middags in de auto.
Hij was de enige volwassene die nooit aan Suzanne vroeg hoe het op school ging. Wel vroeg hij elke dag of ze nog knapper was geworden, maar hij hoefde nooit antwoord.
Ze dacht aan de juf. Die had gezegd: 'Tot morgen. Ik

kom zéker terug, dus daar hoeven jullie niet op te wedden.'
Ze wist dus van het wedden.
'Wie het eerst een vliegtuig ziet,' zei meneer Kozijn.
'Om hoeveel?' vroeg Suzanne automatisch.
'Tss, die jeugd van tegenwoordig denkt alleen maar aan geld. Om de eer natuurlijk!'
'Daar, ik zie er een!'
'Dát? Dat was een duif!'
Suzanne lachte. Hij deed altijd alsof ze een kind van zes was. Dat vond ze niet erg, eerder wel leuk.
Hij stopte bij het gebouw waar de naschoolse opvang was en liep naar de achterbak. Met een soepele beweging tilde hij haar fiets uit de auto. 'Dag wijfie, niet te hard werken!'
Suzanne pakte haar fiets aan en wachtte met kloppend hart tot hij wegreed.

Een kwartier later was ze bij Joshi. Het was een klein huis, zonder voortuin.
'Er hangt een touwtje uit de brievenbus, je hoeft niet te bellen,' had Joshi gezegd.
Aarzelend trok Suzanne de deur open. Het rook naar natte jassen in het gangetje.
'Hallo?' riep ze voorzichtig.
'Kom maar hierheen!' klonk Joshi's stem.

In de kamer zat Joshi met een jongetje video te kijken. Suzanne werd door allebei met gejuich begroet.
'Dit is Billy, mijn broertje,' zei Joshi.
Billy wees naar de televisie. 'Bert is jarig!'
'Wist je dat Bert en Ernie homo zijn?' vroeg Joshi.
Suzanne moest lachen.
Billy bekeek haar even en trok haar toen naast zich op de bank. 'Daag!' Hij zwaaide naar de televisie.
'Ze zien je heus niet,' zei Joshi.
'Wel, hè?' vroeg Billy.
'Wel, hoor.' Suzanne keek de kamer rond. Haar eigen kamer was groter. En netter. Maar ze zat heerlijk en Billy was zelfs op haar schoot gekropen.
'Hoe zijn jullie eigenlijk op dat wedden gekomen?' vroeg ze.
'O, dat ging vanzelf,' zei Joshi. 'We verveelden ons. Ik heb over jou ook gewonnen. Mourad zei dat je een tutje was, en ik zei dat je juist leuk was.'
Suzanne schrok, wie hadden er nog meer 'tutje' gedacht?
Billy moest lachen. 'Tutje!'
'Nu vindt iedereen je leuk, hoor!' zei Joshi.
De deur ging open en een vrouw, duidelijk Joshi's moeder, kwam binnen. Ze had een huilende baby over haar schouder en droeg een volle wasmand onder haar arm.

Suzanne stond op om zich voor te stellen, maar Joshi's moeder had geen hand vrij. 'Ik ben Suzanne,' zei ze toen maar, dwars door het gehuil van de baby heen.
'Netjes is zij, hè?' riep Joshi. 'Billy, niet met je poten op de bank.'
'Voeten!' zei Joshi's moeder. De telefoon ging. 'Och, schat, wil je even vasthouden?'
En ineens stond Suzanne met een baby'tje in haar armen. Joshi en Billy maakten ruzie om de afstandsbediening, Joshi's moeder schreeuwde in de telefoon, ergens krijste een parkiet en de televisie jengelde erdoorheen.
Maar de baby was stil geworden. Ze knipperde een paar keer met haar ogen en legde toen haar hoofd op Suzannes schouder. Suzanne wiegde zachtjes heen en weer en neuriede een liedje. Ze vond het zo vreselijk fijn dat ze bijna moest huilen.

5

De volgende dag ging Floor extra vroeg naar school. De hele parkeerplaats was nog leeg zodat ze haar auto vlak bij de deur kon zetten.
Mooi zo, dat scheelde met sjouwen. Ze had een paar planten meegenomen, een doos met tijdschriften en een konijn.
Björn Barok kwam naar buiten. 'Ik help je wel even.' Geschrokken keek hij naar het enorme konijnenhok. 'Zo, jij bent heel wat van plan!' Hij zette de doos op het hok en liep naar binnen.
Floor volgde met de planten.
'Je ziet wel iets in acht b, hè?' Björn zette de kooi op haar bureau.
Floor knikte. 'Vertel eens, hoe zijn ze eigenlijk met gym?'
Björn ging op het tafeltje van Tamar zitten, zijn gezicht werd ernstig. 'Ik zal het maar eerlijk zeggen: ze doen nooit mee. Al ga ik op mijn kop staan, ze vertikken het. Morgen is het sportdag, dan kun je het zelf zien.'

Dus ook bij gym, dacht Floor. 'Maar, wat doe je dan met ze?' vroeg ze.
'Ze hangen aan de kant, op de bank.' Het leek wel of hij zich schaamde. 'En ze kijken naar de andere klassen. Tenminste, als er wedstrijdjes gespeeld worden. Anders kijken ze niet eens.'
Wedstrijdjes, ik had het kunnen weten, dacht Floor terwijl ze de klas uitliepen.
De koffiekamer zat al redelijk vol. Floor werd hartelijk begroet.
'Eindelijk iemand die het volhoudt met acht b!' zei Mieke.
De deur zwaaide open en Verkerk kwam binnen, rood en gehaast. 'Zeg, is dat Fiatje Panda van jou?' vroeg hij aan Floor.
Ze knikte.
'Hij staat op mijn parkeerplaats,' zei hij met een arrogante glimlach.
Zak, dacht Floor. 'Ik wist niet dat we vaste parkeerplaatsen hadden,' zei ze met dezelfde glimlach. Tenminste, dat hoopte ze.
Verkerk rammelde ongeduldig met zijn autosleuteltjes. 'Nou, officieel niet. Maar het is wel de gewoonte dat ik mijn auto daar zet.'
Gespannen luisterde iedereen mee.
Ik haal hem nu niet weg, dat vertik ik, dacht Floor.

Zo rustig mogelijk schonk ze haar kopje vol. 'Ik zal er voortaan aan denken.'
Hij keek haar aan met zijn staalblauwe ogen. 'Graag.'

'Kijk, deze is van de nieuwe juf,' zei Robbie. Hij wees op de donkerblauwe Fiat.
Iedereen knikte. Daar hoefden ze dus niet om te wedden. Als ze het allemaal met elkaar eens waren, had het geen zin.
'Ze staat op de plek van Verkerk!' Joshi gaf een bewonderend klopje op het dak.
'Per ongeluk, denk ik,' zei Francis. Ze had vandaag hoog opgestoken krullen, net een filmster.
'Nee hoor, expres. Ze heeft schijt aan hem!' riep Joshi. Ze ging op het muurtje zitten, dicht tegen Suzanne aan.
'Ze wist het niet,' zei Robbie.
Jimila pakte een vijfje en kuste het op beide kanten. 'Kop is dat ze het wist.' Ze gooide... munt. 'Ze wist het niet.'
Francis knikte. 'Dat denk ik ook.'
Tevreden pakte Maz zijn schrift.
'Doe voor mij maar dat ze het wist,' zei Nordin.
'Suzanne, kom je vanmiddag weer bij mij?' vroeg Joshi zacht. 'De anderen komen ook.'
'Ze wist het niet,' zei Mourad.

'Waar woon jij eigenlijk?' vroeg Jimila.
O jee, dacht Suzanne. 'Op de Heidelaan.' Ze voelde dat ze rood werd. Ander onderwerp, ander onderwerp...
'Hé, daar woont mijn tandarts,' zei Francis. 'Dan zijn jouw ouders zeker wel rijk!'
Suzanne voelde hoe dom ze zat te kijken. Doorpraten, gewoon iets terugzeggen!
'Zie je wel, dat dácht ik wel,' riep Robbie, alsof hij Suzanne op een misdaad betrapte.
Toen stond Joshi op. 'Dácht jij?' vroeg ze stomverbaasd. 'Waarmee dan?'
'Ha, ha,' zei Robbie vermoeid, maar hij keek niet meer naar Suzanne.
Gered! Voorzichtig gluurde ze opzij. Had Joshi het aangevoeld, of was het toeval geweest...
'Suzanne, wat denk jij, wist ze het?' vroeg Maz.
'Ja, ze wist het,' zei Suzanne.

6

Floor had de konijnenkooi voor in de klas op de grond gezet. 'Welkom konijn,' fluisterde ze.
Precies op tijd kwamen ze allemaal binnen.
'Aaach!' Tamar rende regelrecht naar het konijn. Ze knielde neer en duwde haar lippen tegen de tralies.
Het konijntje reageerde meteen. Floor zou zweren dat hij een kusje gaf.
'Eindelijk een soortgenoot,' zei Robbie.
'Hou jij je kop nou eens een keer!' riep Joshi kwaad.
'Kom maar, schattepopje,' zei Tamar zacht.
Floor was blij met Tamars reactie. 'Jij mag een naam verzinnen.'
'Ehm, Black Beauty!' zei Tamar.
Er werd honend gelachen. 'Hij is spierwit, sukkel!' riep Robbie.
'Nou en? Dat is juist leuk,' zei Joshi. 'Hij heet Black Beauty, punt uit.'
Ze liep naar Floor en leunde gezellig op het bureau.
'Leuk hoor, die planten. Erg leuk.'

Ze meent er niets van, dacht Floor.
'Warm buiten, hè?' ging Joshi verder.
'Ja, fris is anders,' antwoordde Floor voorzichtig.
'Dus je dacht, kom, ik zet mijn auto maar eens eh, op de plek van Verkerk.' Joshi bekeek haar nagels.
Floor moest lachen. 'Joshi, als je iets van mij wilt weten, mag ik eerst een vraag stellen. En voordat we gaan onderhandelen gaat de muziek uit.'
Jimila zette de muziek zacht.
'Uit,' zei Floor.
'Goed dan, uit,' mompelde Jimila.
'Wat is de vraag precies?' vroeg Floor.
'Wist je dat die parkeerplaats van Verkerk was?' vroeg Joshi plechtig.
'Oké,' zei Floor. 'Jullie krijgen zo antwoord. Hier komt mijn vraag: ik schrijf een som op het bord. Ik wil dat jullie die maken. Serieus, echt je best doen, niet spieken. En dan bij mij inleveren.'
'Ja, dag!' Francis pakte een spiegeltje uit haar tas en begon haar lippen te stiften.
'Graag of niet.' Floor ging zitten en pakte de krant van die dag.
Behalve Tamar liep iedereen naar Joshi's tafel.
'Ik ga echt niet zitten rekenen,' mopperde Francis.
'Waarom niet?' vroeg Mourad. 'We doen gewoon even mee en dan krijgen we antwoord.'

Gespannen gluurde Floor naar Joshi.
'We doen het,' zei Joshi.
Floor probeerde haar blijdschap te verbergen. 'Pak maar pen en papier.'
Alsof ze de ijverigste kinderen van het land waren, zo stil en vol aandacht luisterden ze.
'Weten jullie iets van kansberekening?' vroeg Floor.
Robbie reageerde meteen. 'Dat is een vraag, juf!'
'Nee, dit hoort bij de uitleg,' antwoordde Floor streng. Ze hield het kort. 'De kans dat je met een dobbelsteen een zes gooit is één zesde. De kans dat je een zes of een vijf gooit is twee keer één zesde. Dus twee zesde. En hier komt de som: hoe groot is de kans dat je met een dobbelsteen een oneven getal gooit? Als je klaar bent lever je het blaadje bij me in. Tot die tijd wil ik niemand horen.'
'Gaat ze ineens commanderen,' zei Jimila.
Tamar hurkte met haar velletje papier bij Black Beauty. 'En nou wil ze weten hoe groot de kans is...'
'Ssst,' zei Joshi.

Suzanne trok een rechte lijn langs haar liniaal. Daar schreef ze de vraag op: *Hoe groot is de kans dat je met een dobbelsteen een oneven getal gooit?*
Denken op commando. Ze probeerde het, maar het ging niet. Het was alsof haar hersenen ineens stil-

stonden. Alsof iemand de stekker uit het stopcontact had getrokken.
'Je kunt het best!' riep haar vader altijd.
'Rustig nadenken, het is heel makkelijk!' zei de meester van haar vorige school.
'Niet bang zijn, ik weet dat je het kunt!' Urenlang had haar moeder sommen met haar geoefend. Ook in het jaar dat ze was blijven zitten. Daarna was ze nog steeds de slechtste van de klas. Hier niet, hier was iedereen soms goed en soms slecht; gewoon een kwestie van gokken.
Ze had nooit geweten dat het zo leuk was om te winnen. Ze gebruikte het nu ook thuis. Als ze gewonnen had met wedden, zei ze dat het héél goed ging op school. Als ze verloren had, zei ze dat het die dag moeilijk was geweest.
Ze keek naar Joshi, die druk zat te schrijven. Zou zij goed kunnen rekenen?
Suzanne keek weer naar de vraag. Er had net zo goed kunnen staan: *Hoe een kans dat groot is oneven de dobbelsteen met getal je een gooit?*

Tevreden keek Floor de klas rond. Ze zaten te rekenen!
Precies op dat moment werd er op de deur geklopt. De spitse neus van Mieke verscheen om de deur.

'Mag ik even jouw atlas... Wat zijn jullie nou aan het doen?' Ze stapte de klas in en keek stomverbaasd rond.
'Aan het rekenen, hoezo?' vroeg Floor zo nonchalant mogelijk.
Mieke staarde haar aan, keek nog eens met open mond naar de werkende kinderen en liep toen als een slaapwandelaar het lokaal uit. Zonder atlas. 'Ik mag doodvallen als ik hier iets van begrijp,' mompelde ze.
'Hé juf,' riep Joshi, toen Mieke weg was. 'Je had in de koffiekamer moeten wedden dat je ons aan het rekenen kon krijgen. Had je zeker gewonnen, want dat gelooft niemand.'
'Wat is dat toch met dat wedden van jullie?' vroeg Floor.
Joshi haalde haar schouders op. 'O, niks bijzonders.'
'Dat was trouwens een vraag, juf!' riep Robbie grijnzend.

Negen briefjes lagen er op Floors bureau. Allemaal stevig dichtgevouwen, alsof het lootjes waren.
Misschien staat er niks op, dacht ze. Hebben ze net alsof gedaan.
'Nu de vraag beantwoorden,' zei Mourad.
'Oké,' zei Floor. 'Vijftig procent is het goede antwoord. Oneven, dat wil zeggen...'

'Wat kan ons dat nou schelen,' riep Joshi. 'De auto. Of je hem expres op de plek van Verkerk hebt gezet!'
Floor schoot in de lach. 'Goed dan. Het antwoord is: nee. Ik wist niet dat het de plek van meneer Verkerk was.'
Teleurgesteld keek Joshi haar aan. 'Echt niet? Ook niet diep in je hart?'
'Neehee!' riep Robbie.
Zouden ze om geld wedden? dacht Floor. En zo ja, ging het dan om grote bedragen? Misschien stond ze wel voor een klas met gokverslaafden.
'Luister allemaal,' zei ze. 'Over de sportdag van morgen.'
'Ja, dag!' Francis hing weer over haar tafeltje. 'Ik ga een beetje sporten!'
Haar sport bestond uit kauwgom kauwen.
Floor negeerde haar. 'Ik wil dat jullie meedoen. Voor mijn part ga je scores bijhouden of limonade schenken, als je er maar bent.'
'Weet je, het lijkt me eigenlijk wel lachen, die sportdag,' zei Joshi aarzelend. Ze keek rond. 'Toch?'
Ja, ineens leek het iedereen wel leuk.
'Goed, ik zal het doorgeven,' zei Floor. Ze had een angstig voorgevoel. Hoezo, 'wel lachen'?

Zodra de groep het lokaal uit was bekeek ze de briefjes.
Suzanne: *Hoe groot is de kans dat je met een dobbelsteen een oneven getal gooit?*
Keurig geschreven, dat wel. Maar meer stond er niet op.
Tamar: *1,2,3,4,5,6. Wij gokken: 3. Of anders vier of zo.*
Wij? O ja, zij en Black Beauty.
Francis: *Weet ik veel!*
Maz had op zijn papier een hand getekend die een dobbelsteen wierp. Er sprongen wat vraagtekentjes van af. Geen antwoord op de vraag, maar wel een onbegrijpelijk mooie tekening.
Robbie, Jimila en Mourad hadden het goed: drie zesde.
Nordin. O ja, dat was die onopvallende jongen. Nieuwsgierig las Floor zijn antwoord: *De kans op een oneven getal is vijftig procent, oftewel drie zesde oftewel de helft. De vraag is alleen niet goed, want als je ervoor tien keer achter elkaar oneven hebt gegooid, is de kans kleiner dat je weer oneven gooit. Dat is moeilijk te bewijzen, maar in de praktijk is aangetoond dat het zo is. We moeten dus weten wat ervoor is gebeurd.*
Dat klopt niet, dacht Floor. Maar toch is het slim bedacht. Waarom zit hij eigenlijk op deze school?
Joshi: *Hoi Juf. Nou, het ligt er maar aan of je goed kunt*

valsspelen! Ha ha, grapje. Ik spuug wel altijd op de onderkant, dan heb je iets meer kans dat hij daarop valt. Maar je moet je er niet zo druk om maken! Als je heel graag oneven wilt gooien, moet je gewoon net zolang doorgaan tot het lukt. Succes! Groetjes van Joshi.

Een matige score, dacht Floor. Maar we hebben contact!

7

Suzanne zwaaide naar meneer Kozijn en gebaarde dat ze eraan kwam.
'We moeten nog wedden voor morgen,' riep Maz.
'Het moet iets zijn wat ze niet in de gaten heeft,' zei Francis. 'Anders gaat ze weer vragen terugeisen. Zitten we weer te rekenen.'
'We wedden dat Suzanne een keer met het busje mee mag.' Robbie grijnsde pesterig.
'We wedden dat jij een debiele kip bent,' zei Joshi meteen. 'O nee, dat kan niet, want dat weten we al.'
'Ach man, hou je kop,' mompelde Robbie héél zachtjes.
Joshi gaf Suzanne een zetje. 'Ga maar. Ik vertel je straks wel wat we besloten hebben.'
Suzanne groette en rende naar meneer Kozijn.
'En, ben je weer knapper geworden?' vroeg hij.
'We kregen kansberekening,' vertelde Suzanne. 'Over een dobbelsteen.'
'Weet je dat er mensen zijn die stinkend rijk worden

met kansberekening?' Rustig reed meneer Kozijn het schoolterrein af. Hij had het dak van de auto opengemaakt omdat het zulk lekker weer was. 'Die gaan naar het casino. Je weet wel, waar mensen kunnen gokken. Daar bestuderen ze hoe vaak het balletje op rood komt en op zwart, en hoe vaak op even en oneven. En dan rekenen ze uit waarop ze moeten inzetten.'
'En als ze verliezen?'
Hij knipte met zijn vingers. 'Geld weg. Er lopen veel gokverslaafden rond. Die mensen hebben vaak torenhoge schulden, maar ze kunnen het gokken niet laten. Ze zijn verslaafd aan de spanning.'
'Kan ik me wel voorstellen,' zei Suzanne.
Meneer Kozijn knikte. 'Ja, ik ook.'
Ze waren bij de manege aangekomen. Suzanne pakte haar rijlaarzen en haar cap en meneer Kozijn tilde haar fiets uit de auto.
'Dag meiske, goed je best doen en niet vallen.'
Ze wachtte tot hij helemaal uit het zicht was, stapte toen op haar fiets en reed weg.
Tien minuten later was ze bij Joshi. Ze deed de deur open met het touwtje en liep meteen door naar de kamer.
'Suzanne!' schreeuwde Billy. Hij nam een aanloop en stortte zich in haar armen.

Joshi zat gehurkt bij een ladekast. 'Hoi! We gaan straks monopoliën met echt geld.'
Suzanne schrok. 'Met honderdjes en zo?'
'Nee, gek, met kwartjes natuurlijk. Maar mijn moeder mag het niet merken want zij vindt het niet goed als...'
'Dag schat, wat heerlijk dat je er bent!' Joshi's moeder kwam binnen, de baby lag weer over haar schouder te krijsen. 'Wil jij het monster verschonen?'
Ze had gisteren voorgedaan hoe dat moest. 'Jij hebt iets bijzonders,' had ze tegen Suzanne gezegd. 'De baby wordt lekker rustig van jou, en Billy ook. Dat is een talent, eerlijk waar.'
Suzanne had stijf gestaan van het kippenvel. Zij, een talent!
Billy bekeek hoe Suzanne de baby verzorgde. 'Ze heeft een rooie kont,' zei hij.
'Billetjes heet dat,' zei Suzanne.
Joshi kwam erbij staan. Ze keek even of haar moeder niet meeluisterde. 'Ik heb een goed idee voor de sportdag,' fluisterde ze.

Suzanne keek hoe het bolletje room langzaam uit elkaar viel in haar tomatensoep.
'Mam, er zit een heel leuk meisje in mijn klas,' zei ze zonder op te kijken. 'Mag ik morgen bij haar spelen?'

Ze zag dat haar ouders snel een blik wisselden.
'Daar hebben we het toch al over gehad?' zei haar moeder. 'Je zit hier nog maar een paar weekjes. Volgend jaar kun je weer naar een normale school. Waarom zou je hier dan vriendinnen maken?'
'Misschien moet ik wel naar een speciále middelbare school,' zei Suzanne. 'Die bestaan, hoor.'
'Onzin,' zei haar vader. 'Je gaat gewoon naar de havo of misschien zelfs wel naar het vwo.'
De soep was te heet. Suzanne blies zo hard dat er druppels van haar lepel af spetterden.
'En als ik dat nou niet kan?'
'Natuurlijk kun je dat wel,' zei haar moeder geruststellend. 'Maak je maar geen zorgen. We gaan thuis extra sommen maken. Ik zal jullie meester wel bellen.'
'Het is een juf. We hebben een nieuwe invaller.'
'Weer een nieuwe invaller?' riep haar vader. 'Geen wonder dat die kinderen tegenwoordig zo slecht presteren.'
'Dat moet je niet zeggen,' zei haar moeder geïrriteerd.
Haar vader veegde zijn mond af aan een hagelwit servet. 'Er zijn altijd nog privé-scholen. Dat kost tweehonderd gulden per dag, maar daar zorgen ze wel dat je goed je best doet.'
Suzanne werd al misselijk bij het idee. 'Maar, over dat ene meisje dus...' begon ze weer.

‘Het komt wel goed.’ Haar moeder streelde haar hand.
Ander onderwerp, dacht Suzanne. Wedden?
Haar moeder schraapte haar keel. ‘Heb je trouwens gehoord dat de Jonkma’s gaan verhuizen?’

8

Acht b had nou niet wat je noemt sportkleren aan. Francis liep op hakken van tien centimeter, de jongens droegen ingewikkelde ritsbroeken en Jimila had een piepklein rokje aan.
'Het is wel de bedoeling dat jullie gaan sporten!' riep Floor.
Met grote onschuldige ogen keken ze haar aan. Tamar had haar handen achter haar rug.
'En Black Beauty blijft hier,' zei Floor streng.
'Jammer.' Tamar had een zweetbandje om zijn staartje geschoven. Ze gaf Black Beauty een kus en deed hem in zijn kooi. 'Dag knappe vent. Tot zo.'
'Oké, we gaan.' Joshi stond al bij de deur.
'Kom op, juf! Of hou je niet van sport?' vroeg Jimila.
'Ehm, jawel.' Verbaasd liep Floor achter hen aan.
Ze gingen keurig de gang door, het plein over, naar de sportvelden. Daar zag het er feestelijk uit. Overal hingen vlaggetjes en ballonnen. Uit een geluidsinstallatie schetterde muziek. Het was een stralende,

warme dag. Alle kinderen van de school droegen kleurige sportkleren. De kinderen van acht b gingen op de bank zitten, netjes naast elkaar.
Floor zag Björn, hij liep druk heen en weer met ballen en touwen. Hij droeg alweer een ander trainingspak. Hoeveel had die man er wel niet? Ineens keek hij om en zwaaide. Verlegen zwaaide ze terug. Op hetzelfde moment zag ze Verkerk staan. Hij droeg een belachelijk grote sportbroek en hoog opgetrokken kniekousen.
Björn pakte een microfoon. 'Goedemorgen allemaal. Zo meteen krijgt iedereen een kaart. Daar staan alle onderdelen op: hoogspringen, verspringen, hindernisrace enzovoort. Steeds als je een onderdeel gedaan hebt, moet je op je kaart de score laten zetten. Dat kun je doen bij een van de tafeltjes. Aan het eind van de dag wordt uitgerekend wie er heeft gewonnen. Ik wens jullie een fijne en sportieve dag toe.' Hij blies op zijn fluitje, de sportdag was begonnen.
De kinderen van acht b verspreidden zich meteen.
O jee, dacht Floor, nu heb ik geen overzicht meer. Zenuwachtig liep ze tussen de verschillende onderdelen door. Aan de tafeltjes zaten leerlingen van groep acht a, klaar om de scores te noteren. De eerste basketbal werd gegooid. Floor zag Francis en Jimila bij het zaklopen. Ze wist zeker dat ze iets van plan waren, heel zeker. Maar wat?

Joshi en Suzanne stonden bij het verspringen. Joshi nam een aanloopje en sprong. Het stelde helemaal niks voor. Alsof ze van een stoeprand afstapte.
'Poeh poeh, moeilijk zeg!' Ze liep met haar kaart naar het tafeltje. 'Zeventig centimeter,' zei ze.
Nou ja, als ze maar meedoen, dacht Floor. In de verte zag ze Robbie met een softbalknuppel. Ze liep naar hem toe.
'Ja inderdaad, vijf keer mis,' snauwde hij tegen de jongen aan het tafeltje. 'En als je niet ophoudt met lachen sla ik nog een keer, maar dan raak.'
De jongen was meteen uitgelachen en zette snel een nulletje op Robbies kaart.
'Mag ik verder kaarten invullen?' vroeg Robbie.
'Mij best.' De jongen stond op.
Even wilde Floor protesteren, maar ze bedacht zich. Er kon toch niets misgaan? Gespannen zocht ze de anderen. Joshi was ook al achter een tafeltje gaan zitten.
Floor rende naar het touwtrekken. Tamar stond aan de ene kant, een jonger meisje aan de andere.
'Klaar?' riep Peter, de meester van groep vijf. 'En... trekken!'
Het meisje rukte en viel meteen met touw en al achterover in het zand. 'Hé!' riep ze verontwaardigd.
Tamar had niet eens geprobeerd om te trekken. Ze

veegde haar handen af en liep naar het tafeltje. 'Zal ik de scores noteren?'
Er zit iets achter, dacht Floor.
Ook Mourad zat nu aan een tafeltje. De onderwijzers vonden het best, die waren allang blij dat acht b iets deed.
Nog een uur liep Floor als een overspannen politiehond tussen de tafeltjes heen en weer. Alle kinderen van acht b waren nu uitslagen aan het noteren. Er leek echt niks aan de hand te zijn.
Eindelijk durfde Floor zich een beetje te ontspannen. Ze schonk een kopje koffie uit de thermoskan en ging zitten. Misschien was ze te achterdochtig. Misschien was het gewoon een gezellige sportdag.

Suzanne en Joshi zaten samen aan een tafeltje. Een fanatiek, sproeterig ventje legde zijn kaart voor hen neer. 'Ronald, groep vier.'
'En, hoe ver ga je springen?' vroeg Joshi vriendelijk.
'Weet ik veel!' Hij wipte ongeduldig heen en weer.
Rustig legde Joshi het uit. 'Extra onderdeel van de sportdag: je moet schatten wat je score zal zijn. Als je gelijk hebt, krijg je een kwartje. Als je het mis hebt, betaal je een kwartje. Je mag er vijf centimeter naast zitten. Na afloop betalen.'

'We vertellen je eerst wat de anderen hebben gesprongen,' zei Suzanne.
Ronald dacht diep na, toen kwam er een glimlach op zijn gezicht. 'Oké!'
Suzanne liet de lijst van zijn voorgangers zien. Eén meter tachtig, twee meter vijf en één vijfenzeventig.
Hij dacht lang na. 'Eén tachtig,' zei hij uiteindelijk.
Joshi noteerde het achter zijn naam. 'Succes,' zei ze. 'En aan niemand vertellen!'
Ronald liep naar de lijn, spuugde in zijn handen, nam een trage aanloop en sprong...
Juf Ella rende naar de plek. 'Geweldig! Eén... vijfennegentig!'
'Shit,' mompelde Ronald.
'Kassa,' zei Joshi. Ze wenkte Maz die met zijn schriftje rondliep. 'Ronald uit groep vier. Kwartje betalen.'

Björn kwam naast Floor zitten. 'Het gaat goed!'
'Nog wel, nog wel.' Floor keek bezorgd rond. 'Maar ik vertrouw ze voor geen cent. Het is een ziekte, dat wedden. Een besmettelijke ziekte. Als we niet uitkijken verspreidt het zich als een olievlek door de hele school.'
'Ach, zo'n vaart zal het niet lopen.' Björn stond op en liep in looppas naar het penaltyschieten, waar twee jongens van de onderbouw aan het vechten waren.
Floor deed haar uiterste best om alle tafeltjes in de

gaten te houden. Stel je voor, dacht ze, je leven draait om wedden, gokken, spanning. Je moet naar een sportdag, maar je haat sporten. Wat doe je dan? Ja, zorgen dat je andere klusjes krijgt, zoals noteren of limonade schenken.
Ze keek naar de limonadetafel. Nee, niemand uit acht b. Ze zaten alleen bij de wedstrijdtafels. Waarom wilden ze dat zo graag?
Ineens, in een flits, drong het tot haar door. Haar adem stokte. Natuurlijk! Wat een onnozele hals was ze geweest. Langzaam stond ze op, zo onopvallend mogelijk besloop ze het tafeltje van Tamar.
'Er is een extra onderdeel op de sportdag,' hoorde Floor haar zeggen tegen een meisje uit groep acht a. 'Je moet gokken: ga je winnen of verliezen?'
Floor kon het wel uitschreeuwen van woede.
'O, leuk!' Het meisje keek verrast.
'Als je goed gokt, krijg je een kwartje, als je fout gokt, betaal je er één.'
Het meisje dacht na. 'Tegen wie speel ik?
Tamar wees naar een jongen uit groep zeven. Het meisje kneep haar ogen tot spleetjes en bekeek hem uitgebreid. 'Wat heeft hij gezegd?' vroeg ze.
'Dat hij wint.'
Het meisje lachte spottend. 'Oké, ik doe mee. Schrijf maar op dat ik ga winnen.'

Floor kon zichzelf wel voor de kop slaan. Waarom had ze hier niet eerder aan gedacht? Zachtjes liep ze weg. Bij elk tafeltje waar ze meeluisterde gebeurde hetzelfde.
'Hoeveel denk je dat erin gaan?' vroeg Nordin bij het penaltyschieten.
'Ga je winnen?' vroegen Francis en Jimila bij het zaklopen.
'Volgende keer beter! Vanmiddag betalen,' zei Joshi bij het verspringen.
Met knikkende knieën liep Floor naar de bank. Wat moest ze doen? Verkerk inlichten? Nee, beter van niet. Ze rende naar Björn. 'Hoe lang moeten we nog?'
Hij keek op zijn horloge. 'Tien minuutjes.'
'Kunnen we stoppen?' vroeg Floor dringend.
Björn keek haar niet-begrijpend aan.
'Alsjeblieft?'
'Nou... goed.' Hij hield een enorme megafoon voor zijn mond. 'Jongens en meisjes!' Zijn stem schalde over de sportvelden. 'Het is tijd! Iedereen loopt rustig terug naar school. Morgenmiddag maken we de uitslagen bekend. Jullie hebben uitstekend je best gedaan!'
Floor pakte de megafoon uit Björns handen, drukte op het knopje en riep: 'Nog een mededeling: dat extra onderdeel van acht b, vergeet dat maar. Dat was een grapje.'

'Hé!' hoorde ze Robbie roepen.
'Pardon?' zei Björn.
Terwijl ze terugliepen naar school, vertelde Floor wat er gebeurd was. 'Ik geloof dat ik het maar niet aan Verkerk vertel,' eindigde ze.
Björn knikte instemmend. 'Verkerk is doodmoe,' zei hij. 'Hij kan weinig hebben op dit moment. Er hoeft maar dit te gebeuren,' Björn knipte met zijn vingers, 'en hij stampt ze zo van school af.'

Langzaam liep acht b terug. Joshi had Suzannes hand stevig beet.
Ik wou dat ze vast bleef zitten, dacht Suzanne. Dan moet ze wel mee naar mijn huis. 'Sorry mam, maar we kunnen niet meer los.'
'Ze heeft ons verraden!' Robbie keek alsof hij gruwelijk bedrogen was.
'Nou en?' zei Joshi. 'Ze is slim, bijna net zo slim als wij. Dat vind ik juist leuk! En ik durf te wedden dat ze niets aan Verkerk vertelt.'
'Wedden van wel!' zei Maz. 'Ze verraadt ons.'
'Nee.' Joshi leek het zeker te weten. 'Ze houdt haar mond.'
'Ze verraadt ons,' riep Robbie. 'Het is en blijft een juf.'
'En dan?' vroeg Suzanne zacht.

'Dan zijn we de klos,' antwoordde Francis. 'Want we hebben al een laatste waarschuwing gehad. Verkerk haat ons.'
'Ze gaan onze ouders bellen, misschien worden we zelfs geschorst,' somde Jimila op.
Suzanne voelde haar benen slap worden.
'Of ze verdelen ons over alle klassen, daar hebben ze ook al eens mee gedreigd,' zei Francis. Ze kauwde in een hogere versnelling dan anders.
Maz sloeg een lege bladzijde van zijn schrift open. 'Wie zegt dat ze haar mond houdt?'
Joshi's hand ging omhoog, Suzanne volgde, Nordin deed aarzelend mee.
'Het is en blijft een juf,' herhaalde Robbie met een grimmige trek om zijn mond.
'Goed.' Maz sloeg zijn schriftje dicht. 'Drie voor, zes tegen.'

De juf zat al in de klas. 'Zitten en luisteren!' zei ze op een toon die Suzanne nog niet van haar kende.
'Puh, puh,' mompelde Robbie.
'Dat jullie er nu ook andere kinderen bij betrekken, vind ik schandalig! Als je zelf...'
'Rabarber-rabarber-rabarber,' fluisterde Joshi.
Suzanne drukte nerveus haar handen tegen haar buik. Ik wil in deze klas blijven, bij Joshi, dacht ze.

De deur zwaaide open, Verkerk kwam binnen. Iedereen was stil. 'Ik heb het altijd al gezegd...' begon hij. Suzanne zag de afkeer, nee, de haat in Joshi's ogen.
'Zie je wel,' fluisterde Robbie.
Verkerk glimlachte minzaam. 'Als jullie een klein beetje je best doen, zoals vandaag, is het voor iedereen een stuk gezelliger!'
Joshi trok haar wenkbrauwen op.
'Prima genoteerd. Volgende keer gewoon meesporten, dan ben ik helemaal tevreden!' Even snel als hij gekomen was verdween hij weer.
Hij wist dus van niks, de juf had gezwegen.
Suzanne kreeg een knipoog van Joshi, ze hoorde Nordin triomfantelijk fluiten. Ze keek naar de juf. En ineens zag ze iets: de juf had een hekel aan Verkerk.
Natuurlijk, dat kon ook nog!
'Oké, juf.' Joshi schraapte haar keel. 'We zullen de andere kinderen voortaan met rust laten.'
Dat meende ze, wist Suzanne. En ze zag dat de juf het ook wist.

9

De volgende ochtend zaten ze op hun vaste plekje buiten. Ze hadden nog even tijd voordat de school begon.
'Wat zullen we wedden vandaag?' vroeg Maz.
'We weten nog niet of ze een vriend heeft.' Francis lag languit op het muurtje. Haar haar was vandaag rood en gekruld, en het vlamde prachtig in de zon.
'Volgens mij heeft ze er zelfs meer dan één,' zei Robbie. 'Maar dat zal ze nooit toegeven.'
'Nee, we moeten iets nieuws verzinnen,' zei Maz. 'Iets leukers.'
Stilte.
Iedereen zit gewoon op Joshi te wachten, dacht Suzanne.
Na een tijdje sprong Joshi op, haar ogen glommen. 'Ja! Ik weet iets heel, heel leuks! Iedereen doet mee, maar dit keer om de beurt.'

Floor had vanmorgen zelfs zin gehad om naar school

te gaan. Volgens mij gaat het me lukken met acht b, had ze gedacht. Als ik maar geduld heb.
Heel rustig kwamen ze binnen.
'Juf, ik ben jarig,' zei Robbie meteen.
Floor feliciteerde hem en vroeg of Maz een vlag op het bord wilde tekenen.
Dat wilde hij wel. Het werd een rafelige vlag met een zingende merel op de mast.
'Ik heb nog nooit een jongen ontmoet die zo mooi kan tekenen als jij,' zei Floor.
Maz keek haar minachtend aan.
Hij vindt me een slijmbal, dacht Floor. Of is het gewoon verlegenheid? Misschien moet ik eens wat meer complimentjes geven.
'We gaan voor Robbie zingen!' Joshi zette in. 'Lang zal hij leven...'
Uit volle borst zong iedereen mee.
Dit gaat goed, ik moet vaker met ze zingen, dacht Floor.
Daarna gingen ze allemaal weer hun eigen gang. Floor wachtte af. Ze gaf de planten water en bladerde een tijdschrift door. Ondertussen lette ze goed op. Na een tijdje vroeg Francis of ze naar de wc mocht.
Ja, natuurlijk mocht dat. Francis verdween. De jongens zaten te computeren, de meisjes lazen de

horoscopen in de tijdschriften die Floor had meegenomen. Tamar verschoonde het hok van Black Beauty.

'Leeuw, een langgekoesterde wens gaat deze week in vervulling,' las Joshi. Ze keek smachtend naar Mourad. 'O schat... eindelijk!'

'Ik zou er niet op rekenen,' zei Mourad zonder van het scherm op te kijken.

Floor keek naar Suzanne. Haar moeder had vanochtend naar school gebeld. Of het mogelijk was om extra sommen mee te geven, zodat ze thuis konden oefenen.

Floor had verteld dat dat echt niet nodig was.

Hoe het met haar dochter ging, had Suzannes moeder gevraagd.

Floor had geantwoord dat het nogal rommelig was in de klas, maar dat het wel steeds beter ging.

Ineens schrok ze op. Ze was Francis helemaal vergeten. Die was al minstens een kwartier weg. Net op dat moment ging de deur open. Iedereen keek, het was muisstil. Toen begon Joshi te klappen, gevolgd door de anderen.

Francis' haar was eraf. Haar prachtige, dikke krullen waren weg. Een piekerig, slordig stekelhoofd was ervoor in de plaats gekomen.

Suzanne kon haar ogen niet geloven. Francis had het echt gedaan!
Joshi's plan was dit: 'Je moet iets verzinnen wat je gaat doen. En het moet zo gek of moeilijk zijn, dat de anderen denken dat het niet lukt. Dubbele inzet.'
Iedereen was meteen gaan nadenken.
'Maar het mag niet gevaarlijk zijn en niet gemeen,' had Joshi nog gezegd.
Francis was de eerste die een idee had. 'Ik wed dat ik mijn haar durf af te knippen,' zei ze.
Iedereen moest vreselijk lachen.
'Jij? Nooit!' Joshi wist het zeker. 'Jij knipt nog liever je neus eraf.'
Maz stond al klaar met zijn schrift. 'Joshi: nee. Volgende?'
Robbie twijfelde. 'Thuis, of op school?' vroeg hij.
'Op school, natuurlijk,' zei Francis stoer.
'Dan zeg ik ook nee,' besloot Robbie.
Suzanne probeerde helder te denken. Francis was een ijdeltuit. Nee, ze was gek als ze het deed. De rest was het met haar eens: nee, dat durfde Francis niet.
Behalve Maz. Hij keek Francis lang aan. 'Ze doet het,' zei hij vastbesloten.
En hij had gelijk gekregen. Zeven tegen twee. Dubbele inzet. Vette winst voor Francis en Maz.

'Wat... Wat heb jij gedaan?' stamelde Floor.
'Gewoon.' Francis probeerde stoer te klinken, maar haar stem bibberde.
'Dat was trouwens een vraag, juf!' riep Robbie.
Floor dacht koortsachtig na. Dit was vast weer zo'n weddenschap. Ze waren nog gekker dan ze dacht. Ze keek naar Francis. Wat een klein koppie had die ineens. Een beetje ziek zag ze eruit.
Ik moet dit stoppen, dacht Floor paniekerig. Maar hoe? Hoe krijg ik in 's hemelsnaam vat op ze?
'Hier, Francis!' Joshi gooide haar petje. Dankbaar zette Francis het op haar hoofd.
De klas bleef onrustig.
Ik wil weg, dacht Floor. Ik zit voor paal, de hele week al. Ik kan ze niet aan. Ik ben bang.
'Juf, mag ik trakteren voor mijn verjaardag?' vroeg Robbie.
Floor ademde diep in. 'Dat lijkt me een goed idee,' zei ze zo opgewekt mogelijk.
Hij pakte een puntzak uit zijn tas. Spekkies. Er werd een beetje lacherig op gereageerd. Er was weer iets, wist Floor. Maar wat? Ze schoof stiekem haar spekkie opzij. Wie weet hadden ze er zeep in gestopt. Of vergif. Dat was nog eens een leuke weddenschap...
Robbie liep naar de deur.

'Waar ga je heen?' vroeg Floor.
'De klassen rond, natuurlijk!' antwoordde Robbie verbaasd.
O ja.
'Ik vraag Maz mee.'
'En ik dan?' vroeg Joshi. Er werd hard gelachen. Robbie en Maz verdwenen. Floor wist niet wat ze moest doen. De sfeer was gespannen en giechelig. Iedereen zat met gespitste oren.
Zal ik gaan kijken? dacht Floor. Maar misschien willen ze dat juist: wedden dat de juf de gang op komt. Waarschijnlijk hangt er een emmer water op scherp, boven de deur. Nee, blijven zitten.
Zenuwachtig bladerde ze in het tijdschrift.
'Waar ga je heen?' vroeg ze toen Jimila opstond.
'Ik moet naar de wc.'
'Zitten blijven.' Floor liep naar de deur en bleef daar staan. Ze stond stijf van de zenuwen.
'Nou zeg.' Beledigd ging Jimila weer zitten.
Toen klonk er gelach vanaf de gang. Keihard. Er werd gejoeld, geschreeuwd, geschaterd. Floor opende de deur. Het kwam uit de klas van Verkerk. Ze hoorde zijn stem erbovenuit bulderen. 'Zijn jullie nou helemaal bedonderd!'
Voor ze het in de gaten had stonden alle kinderen op de gang.

'Ga eens terug!' riep ze, maar niemand trok zich iets van haar aan.
De deur van de klas van Verkerk ging open. Robbie en Maz kwamen naar buiten. Lachend en piemelnaakt.

In de pauze bleek dat alle onderwijzers het al hadden gehoord: de kinderen van acht b wilden in hun blootje de klassen rond.
Verkerk was woedend. 'Totaal grenzeloos, ik heb het altijd al gezegd van die groep!'
'Ze hebben wel humor,' zei Mieke.
'Het is meer dan een grap, hoor!' Floor vertelde van de haren van Francis.
Daar werden ze even stil van.
'We moeten ze in de gaten houden, het zijn crimineeltjes,' zei Ella, de kleuterjuf.
'Ach, het zijn kinderen,' zei iemand tenslotte. 'Wij deden dat soort dingen vroeger ook wel.'
Er volgden sterke verhalen over ruitjes inschieten en belletje trekken.
Nee, dacht Floor. Dit is anders.
Björn keek haar nadenkend aan. 'Ik denk dat je gelijk hebt,' zei hij. 'Het kan uit de hand gaan lopen.'
Ja, hartelijk bedankt, dacht Floor. En wat heb ik daaraan?

'Mijn broertje van drie heeft een grotere!' riep Joshi.
Het was pauze. Maz en Robbie waren weer keurig aangekleed en liepen erbij alsof ze een heldendaad hadden verricht.
'Mogen we even vangen, dames?' zei Robbie, zogenaamd charmant.
Alle meisjes hadden gedacht dat ze het niet zouden durven. Alle jongens zeiden van wel. Vijf fout, vier goed.
Suzanne gaf zes kwartjes, vier voor Maz en Robbie, en twee voor Francis.
'Jij krijgt zeker heel veel zakgeld,' zei Robbie.
'Gaat het jou wat aan?' Joshi keek niet naar zijn ogen, maar naar zijn kruis.
Robbie bleef stoer voor zich uit kijken, maar hij bloosde wel.
Geld was geen probleem voor Suzanne. Ze kreeg inderdaad veel zakgeld en ook nog vaak iets extra's. En als haar opa en oma kwamen kreeg ze meestal honderd gulden. Zomaar. Ze had tegen Joshi gezegd dat ze ook wel voor haar wilde betalen.
'Nee gek. Dan is er toch niks meer aan,' had Joshi geantwoord.
'Ziezo. Ik ben aan de beurt.' Joshi stond op.
Suzanne schrok. 'Doe nou niet,' probeerde ze voor de zoveelste keer. 'Straks word je ziek!'

'Nou en? Misschien ga ik wel dood!' zei Joshi. 'Dan kunnen jullie wedden of ik in de hemel kom. Moet je hoog inzetten, ik zal de uitslag doorseinen.'

10

'Ik wil erover praten,' zei Floor, zodra ze weer binnen waren.
Geen antwoord. Er was weer iets, ze waren onrustig.
'Als jullie zo doorgaan, zal ik...' Ineens zag ze Joshi.
Ze zat op haar stoel, haar gezicht was grauw en bleek.
Ze was duidelijk doodziek. 'Joshi, gaat het wel?' vroeg Floor.
Joshi tilde haar hoofd op en kokhalsde.
'Getverderrie!' gilde Francis.
Joshi maakte oorverdovende geluiden, maar ze gaf niet echt over. De andere kinderen bleven geïnteresseerd kijken. Alleen Suzanne zag er bezorgd uit, ze sloeg haar arm om Joshi heen en streelde haar rug.
Een weddenschap natuurlijk. Floor vloekte binnensmonds. Met opeengeklemde kaken pakte ze Joshi's schouders. 'Heb jij iets gegeten waar je zo ziek van bent?' vroeg ze.
Joshi knikte.
'Wát dan? Is het gevaarlijk?'

'Ik heb spijt! Ik heb spijt!' jammerde Joshi met haar handen tegen haar buik gedrukt.
Robbie lachte. Floor háátte hem, en ze haatte Joshi ook. Ze haatte heel acht b.
Zonder een woord te zeggen pakte ze Joshi bij een arm en leidde haar naar de deur. Nog één keer keek ze om. Alle ogen waren op haar gericht, maar ze kon niet zien wat er in hen omging. Ze zijn gevaarlijk, dacht ze. Toen sloot ze de deur en zette Joshi tegen de muur van de gang. 'Wat heb je gegeten?' riep ze.
'Ik wil zo graag overgeven, maar het lukt niet,' huilde Joshi. Ze was nu echt in paniek, haar adem gierde en ondertussen bleef ze kokhalzen.
Floor nam snel een beslissing. Ze rende naar de klas van Mieke en vertelde fluisterend het verhaal.
Mieke schrok. 'EHBO!' zei ze. 'Ik let wel op je klas.'
Floor rende terug naar de gang, trok Joshi overeind en dwong haar te lopen. 'Kom maar, toe maar...' Ze duwde haar naar buiten en deed de auto open. Kreunend liet Joshi zich op de voorbank zakken.
Op weg naar het ziekenhuis bleef ze kokhalzen. Ze was er erg aan toe. Floor reed zo hard als ze durfde. Op het moment dat Floor de auto stilzette op de parkeerplaats van het ziekenhuis, rukte Joshi de deur open. Met een paniekerige gil spuugde ze een straal vocht naar buiten. Ze bleef er even aandachtig naar kijken en

leunde toen achterover in de stoel met een tevreden glimlach om haar mond. Heel snel, alsof de zon door de wolken brak, kreeg ze weer kleur in haar gezicht.
Ze zuchtte diep. 'Hè, hè. Die is eruit.'
Voorzichtig keek Floor langs haar heen naar buiten. Het was een behoorlijke plas, met een vreemde roze kleur. Middenin lag de oorzaak van alle ellende: een vette, slappe regenworm.

Langzaam reden ze terug. Floor was woedend, maar ze begreep dat ze nu slim moest zijn. 'Nou, gefeliciteerd!' begon ze. 'Het is je gelukt.'
'Bedankt!' zei Joshi trots.
'En hoeveel krijg je nu?'
Joshi kletste erop los. 'Eerst zei ik dat ik een knikker in durfde te slikken, maar iedereen geloofde dat wel. Daar heb ik natuurlijk niks aan. Toen zei ik: een regenworm. Dat geloofde niemand, behalve Robbie. Dus dat was twee tegen zeven. Dubbele inzet, dus veertien kwartjes!'
Floor was opgelucht dat het maar om kleine bedragen ging.
Joshi lachte. 'Arme Suzanne, die dacht dat ik dood zou gaan. Dat die worm in paniek een gat in mijn maag zou vreten. En Tamar vond het zielig voor de worm. Niet eens voor mij!'

Floor probeerde er niet aan te denken, zo'n kronkelende pier in je maag. 'Hoe werkt het betalingssysteem dan?' vroeg ze.

'O, heel makkelijk,' zei Joshi. 'Als je verliest betaal je een kwartje. En de winnaars verdelen de pot.' Ze boerde. 'Sorry, juf! Ik had hem weggeslikt met aardbeienyogi, daarom was die kots roze, dat zag je zeker wel. Volgens mij was die worm al dood voordat hij in mijn maag kwam, maar ik werd zo misselijk van het idee.'

'En wat heeft de rest gewed?' Floor draaide snel het raampje open voor wat frisse lucht.

Joshi kletste maar door. 'Nou, Maz en Robbie dus bloot de klassen rond, Jimila wist niks en Francis die kale kop. Wel zonde trouwens, hè? Mourad gaat vuur spuwen. Eén grote vlam in de lucht, dan telt hij. Goed dat hij zijn beugel verkocht heeft, want die zou snikheet worden.'

'Verkocht?'

'Ja, aan Robbie. Gewoon voor de lol. Hij had geld nodig en Robbie is stinkend rijk. Hij heeft hem bij een grietje uit groep zeven in de broodtrommel gestopt.' Ze lachte even bij de herinnering. 'En Suzanne gaat in de supermarkt...' Ineens hield ze haar mond. 'Ja zeg! Ik ga niet alles verklappen!'

Tot haar spijt zag Floor dat ze bijna bij school waren. Ze had een omweg moeten maken. Het is nu of

nooit, wist ze. Ze keek in haar spiegeltje en zette de auto aan de kant van de weg. Joshi keek niet geschrokken of verbaasd, alleen maar nieuwsgierig.
Ze is overal voor in, dacht Floor, als het maar spannend is. 'Waarom willen jullie niet werken?' vroeg ze.
Joshi trok snel een serieus gezicht, alsof ze aan een quiz meedeed. 'Omdat we het niet kunnen!'
'Hè?'
'Echt waar, juf. Wij Zijn Heel Erg Dom.' Ze sprak de woorden langzaam en met nadruk uit en klopte daarbij een paar keer op haar hoofd, alsof ze het daarmee kon bewijzen.
Houdt ze me nou voor de gek of niet, dacht Floor. Ze zette de motor af en leunde achterover. Wat is het toverwoord? dacht ze. Wedden, gokken, spelletjes... Hoe krijg ik haar te pakken? 'Stel je voor...' begon ze voorzichtig.
Joshi keek haar vol verwachting aan.
'...dat jij mij was.'
'O jee,' zei Joshi.
'En je kreeg acht b. Wat zou jij dan doen?'
'Onder de trein springen,' antwoordde Joshi meteen. 'Nee hoor, grapje.' Ze wreef haar handen van plezier. 'Even denken. Ik zou leuke dingen gaan doen.'
'Maar je zit toch op school om...' Floor herstelde zich. 'Wat dan, bijvoorbeeld?'

'In ieder geval niet rekenen, want dat kunnen we niet.'
'Dat kunnen jullie best!' riep Floor automatisch.
Joshi keek haar fel aan. 'Ik haat mensen die dat zeggen! Wij weten heus wel hoe jullie over ons denken. Daarom doen we het lekker op onze eigen manier. En als ik de juf van acht b was, zou ik het ook op die manier doen.' Ze gaf Floor een por in haar zij. 'Maar we vinden jou heel lief, hoor!'
Floor was ineens doodmoe. 'Dank je.' Ze startte de auto en reed langzaam verder. 'Maar waarom doen jullie niet mee met andere dingen. Sport, bijvoorbeeld?'
Joshi moest lachen. Met een beschuldigende vinger wees ze naar Floor. 'Jaa! Jij denkt, ik ben slim, ik ga lekker gratis vragen stellen!'
Mijn hemel, dacht Floor.
'Heb jij een vriend?' vroeg Joshi.
'Eerst jij,' zei Floor.
Joshi genoot zichtbaar. 'Goed dan. Wij doen nergens meer aan mee, omdat we het tóch nooit goed doen.' Ze schraapte haar keel en begon te schreeuwen: 'Zijn jullie hier ook al te beroerd voor? Vooruit met die luie lijven!'
Floor knikte. 'Ik begrijp het. En: nee, ik heb geen vriend.'

Ze reden het schoolterrein op.
'Hé juf, zullen we zeggen dat ze me geopereerd hebben? Dat ik bijna dood was?'
Floor parkeerde. 'Nee,' zei ze. 'We zeggen dat het nu afgelopen moet zijn met dit soort idiote acties.'
'Jammer. Het leek me wel een goeie bak.' Joshi stapte uit en huppelde naar school. Ze keek nog even om. 'Bedankt voor de lift, juf!'

Suzanne bleef duimen. Natuurlijk zou die worm meteen stikken, dus het was niet gevaarlijk. Maar waarom was Joshi dan zo misselijk geworden? Zat er toch iets giftigs in een worm?
Juf Mieke van groep vier was komen vertellen dat de juf met Joshi naar de EHBO was. 'Jullie gaan rustig iets voor jezelf doen,' zei ze. 'Ik laat de deuren open, zodat ik jullie kan horen.'
Toen ze weg was liep Mourad naar het bord. 'Nu ik,' zei hij zacht. Hij zette een kaars en een fles wasbenzine voor zich neer.
'Hoe kom je daaraan?' vroeg Maz.
'Tjaa...' zei Mourad geheimzinnig. Hij schudde met een doosje lucifers en stak, sierlijk als een echte vuurspuwer, de kaars aan. Daarna drukte hij een kus op de fles wasbenzine en nam er een grote slok uit.
'Hij brandt zijn mond,' zei Suzanne angstig.

'Het is maar goed dat hij zijn beugel niet meer heeft,' fluisterde Jimila.
Onmiddellijk ging het mis. Proestend spuugde Mourad het spul weer uit, zo smerig was het. Maar de kaars brandde en er laaide een steekvlam op. Maz rende naar voren en gooide er een handdoek over. Jimila greep de fles wasbenzine. Niks aan de hand.
Net op dat moment kwam Verkerk binnen. Snuivend als een politiehond liep hij rond. Met een ruk tilde hij de handdoek op. 'Juist,' zei hij toen, akelig rustig.
'We hebben toch zeker niks gedaan?' zei Robbie.
'Wasbenzine, lucifers en een kaars. Dat heet brandstichting, jongeman. Ik wil nu weten wie de dader is, anders wordt de hele groep gestraft.'
Suzanne keek geschrokken om zich heen. Jimila stond bij de cd-speler, de fles wasbenzine was nergens meer te zien. Maz leunde tegen het bord en bekeek aandachtig zijn horloge. Mourad leek ergens over na te denken, de anderen keken verveeld voor zich uit.
Er werd geklopt, een kleine jongen kwam binnen.
'Meneer, Elvira is op haar kop gevallen.'
Verkerk gromde, toen liep hij de klas uit. Bij de deur draaide hij zich om. 'Ik ben jullie spuugzat. De grens is bereikt. Jullie horen nog van me.'

Het bleef vijf seconden doodstil. Toen zei Mourad: 'Hij telt.'
Hij werd zo vierkant uitgelachen, Tamar plaste zelfs een beetje in haar broek, dat hij er maar niet meer op terugkwam.
Ze zijn helemaal niet bang, dacht Suzanne verbaasd. Straks belt Verkerk alle ouders, of zelfs de politie!
Net voordat de bel ging kwam Joshi terug. Lachend alsof er niets gebeurd was. 'Ik heb de dood in de ogen gezien!' riep ze trots. 'Ze hebben me meteen geopereerd. De worm is eruit, maar hij heeft wel eitjes gelegd. Want het was namelijk een vrouwtje.'
'Aaaach,' zei Tamar vertederd.
'Hou op, ik word misselijk!' riep Francis.
'Bij wormen heb je geen mannetjes en vrouwtjes,' zei Nordin rustig.
Joshi kletste gewoon door. 'Zodra ik het voel bewegen in mijn buik, moet ik de dokter bellen. Dan zijn de eitjes namelijk uitgekomen.'
Francis stond in de hoek met haar vingers in haar oren. 'Ik moet kotsen,' piepte ze.
'Wedden van niet?' zei Robbie met een gemeen lachje op zijn gezicht.
Suzanne keek naar Francis. Ja, die ging overgeven, dat was duidelijk.
'Vlug zeggen allemaal.' Maz had zijn pen al klaar.

11

'Ik open deze extra vergadering over acht b,' begon Verkerk. 'Met alle respect voor Floor, maar er moet iets gebeuren.'
Eindelijk, ik sta er niet meer alleen voor, dacht Floor. Ze had verteld over Joshi, en ze was zich rot geschrokken van het verhaal over de brand.
Verkerk keek veelzeggend de kring met meesters en juffen rond. 'De hele school had kunnen afbranden. Godzijdank was ik er net op tijd bij.'
Nou wil hij zeker applaus, dacht Floor geërgerd.
Björn zat bananen te eten. Hij had een grote tros bij zich en maakte nu de vierde open. 'Hoe kwam het eigenlijk?' vroeg hij.
'Ze wilden vuur spuwen.' Floor lachte even, maar hield snel op toen ze de blikken van de anderen zag.
Verkerk schraapte zijn keel. 'Acht b is onverantwoord bezig. Het wormverhaal is al griezelig, maar met het brandstichten zijn ze ver over de grens gegaan. Ze zijn gevaarlijk voor de hele school. En ze weigeren te

zeggen wie de dader is. Er blijft maar één maatregel over: ze worden verwijderd. Per vandaag. We lichten vanavond de ouders in.'

Floor zag tot haar verbijstering dat iedereen knikte. Ook Björn. 'Dat kan niet!' riep ze. 'Als ze worden weggestuurd, zijn ze verder kansloos! Er is toch in feite niks gebeurd!'

'Dankzij zijn snelle actie,' zei meester Maurice, met een bewonderende blik op Verkerk.

Slijmbal, dacht Floor.

'Ze verdienen nog een kans!' zei ze.

'Die kans hebben ze al tien keer gehad. We hebben alles met ze geprobeerd, alles!' Verkerk haalde zijn bril van zijn neus en wreef in zijn ogen. 'Ik moet ook een beetje aan de naam van de school denken!'

Wanhopig keek Floor naar Björn. Help dan!

Krak. Björn trok een nieuwe banaan los.

'Sommige kinderen zijn nu eenmaal onhandelbaar,' zei de meester van acht a. 'Dat moeten wij accepteren.'

'Ik ga wel met de ouders praten,' probeerde Floor.

Verkerk schudde zijn hoofd. 'Dat hebben we al zo vaak gedaan. De ene helft deelt straf uit, huisarrest en weet ik wat allemaal. De andere helft haalt zijn schouders op. "Het zijn inderdaad geen lieverdjes," zeggen ze dan.'

Floor voelde hoe haar keel dichtkneep. 'Ik zie ook

wel dat ze niks uitvoeren en dat ze gevaarlijk bezig zijn,' zei ze zacht. 'Maar toch, ze zijn ook heel... leuk.' Ze zag Joshi voor zich, hoe ze weghuppelde uit de auto. Robbie met zijn wapperende middelvingers. Stille Nordin, kale Francis, Jimila als ze danste, drukke Tamar...
'Het is maar wat je leuk noemt,' mompelde Mieke.
'Ze hebben een bijzondere band met elkaar,' ging Floor verder. 'Er wordt niemand gepest, ze vervelen zich nooit, ze verzinnen originele dingen om te doen.'
'Origineel, dat kun je wel zeggen, ja,' zei Verkerk.
Het was benauwd in de kleine koffiekamer. Iedereen zag bleek in het harde neonlicht.
Ze zijn moe, dacht Floor. Ze willen naar huis. Woedend pakte ze de koffiekan en schonk met trillende hand haar kopje nog eens vol. Ze trok haar vest uit en leunde zo ontspannen mogelijk achterover. Ze wierp een snelle blik op haar horloge. De supermarkt, Suzanne ging iets doen bij de supermarkt, had Joshi gezegd. Niet aan denken, eerst dit afmaken!
'Ik ben nog lang niet uitgepraat,' zei ze hard.
Mieke zuchtte. 'Wat wil je dan?'
'Nog één kans. Ik denk dat ik ze naar het einde van het schooljaar kan slepen. Het is nog een maandje, dat moet toch lukken? Daarna zien we wel weer verder.'
Verkerk keek op zijn horloge. 'Luister...'

Floor voelde het bloed naar haar hoofd trekken. Ze haalde diep adem, sloot een seconde haar ogen en zei: 'Wedden? Wedden dat het me lukt? Acht b doet gewoon mee, tot de grote vakantie. Ik zet een maand salaris in.'
Ik lijk wel gek, dacht ze.
Verkerk klikte ongeduldig zijn pen in en uit. Hij was het duidelijk zat.
Alsjeblieft, dacht Floor.
Het bleef akelig stil.
'Ik doe mee,' zei Björn ineens. Hij praatte met volle mond, dus Floor wist niet zeker of ze hem goed verstond.
'Pardon?' vroeg Verkerk.
'Ik doe mee met de weddenschap,' herhaalde hij. 'Floor, ik geloof niet dat het je lukt. Je schat acht b verkeerd in. Binnen een week is het weer mis. Ik zet ook een maand salaris in.'
Floor voelde haar mond openzakken.
'Nee, dat lukt haar nooit,' zei meester Walter. 'Ze zijn simpelweg niet te handhaven.'
'Nou, zet dan in.' Björn keek hem uitdagend aan.
'Oké, een maand sala...'
Beng! Verkerk gaf een oorverdovende dreun op de tafel. 'Zijn jullie belazerd!' riep hij. 'Waar zijn jullie mee bezig?'

Als stoute kinderen keken ze hem aan.
Hij pakte zijn tas en stond op. 'Goed. Gezien je enthousiasme wil ik je nog één kans geven. Maar denk erom: bij de eerste de beste misstap vliegen ze er allemaal uit.' Hij groette nors en verdween.
Floor voelde dat ze grijnsde en ze kon niet meer stoppen.

12

Suzanne liep tussen de schappen door. Ze stopte een zak spekkies in haar karretje. En een doos negerzoenen. Ze ging naar de drankafdeling, zette een krat cola onder op haar karretje en liep naar de kassa. Gek, alles ging goed en toch was ze zenuwachtig. Voor alle zekerheid keek ze om zich heen. Niemand natuurlijk.
'Het is eigenlijk niet eerlijk,' had ze tegen Joshi gefluisterd.
'Maar het is wel een goeie bak!' had Joshi geantwoord. 'En daar gaat het toch om?'
'Goedemiddag!' De vrouw achter de kassa was heel vriendelijk.
Suzanne pakte haar portemonnee. Ze legde de spekkies en de negerzoenen neer, ondertussen hield ze de uitgang goed in de gaten.
'Was dat alles?' vroeg de vrouw achter de kassa.
Suzanne schudde haar hoofd. 'Ik heb nog een krat cola.'

Ze betaalde, stopte de bon in haar broekzak, deed de spullen terug in haar karretje en reed naar de uitgang. Om de hoek, voor de apotheek, zaten ze op haar te wachten. Joshi zag haar het eerst. Ze juichte en klapte in haar handen.
'Shit!' zei Tamar. 'Dat had ik eerlijk gezegd niet van jou verwacht!'
'Suzàànne heeft een krat gejat!' zong Joshi op de wijs van 'Ajax heeft de wereldcup'.

Meteen na de vergadering was Floor naar het winkelcentrum gereden. Ze dacht weer aan dat zinnetje van Joshi: 'Suzanne gaat in de supermarkt...'
En inderdaad, daar zaten ze. Als een groepje apen hingen ze op en rond het bankje. De supermarkt was om de hoek.
Floor begluurde ze vanachter de glasbak. Suzanne zag ze niet, die was waarschijnlijk al met haar weddenschap bezig. Joshi liep als een koorddanseres over de rugleuning van de bank. Haar armen wijd, voetje voor voetje. Aan niets was te merken dat ze vanmiddag zo ziek was geweest. Francis zat naast Nordin en Maz op de bank. Ze had nog steeds Joshi's petje op haar hoofd. Tamar huppelde om het groepje heen. Tegen de prullenbak leunden Robbie en Jimila. Mourad zat op de bagagedrager van een fiets.

Hij mag blij zijn dat hij niet gewond is geraakt bij zijn stunt, dacht Floor.
Joshi keek onafgebroken in de richting van de supermarkt. Ineens begon ze te juichen en te klappen. De reden was duidelijk: Suzanne kwam eraan, met een gevuld winkelwagentje. Floor wachtte nog even en liep toen naar het bankje.
'Suzàànne heeft een krat gejat!' zong Joshi hard. 'Suzàànne heeft een... shit!' Ze stopte abrupt toen ze Floor zag.
'Niets aan de hand,' siste Francis.
Maz sloeg zijn armen over elkaar en keek Floor arrogant aan. 'Worden we soms bespioneerd?' vroeg hij.
'Inderdaad,' snauwde Floor woedend. 'En dat is niet voor niks.' Ze wenkte Suzanne. 'Meekomen.'
'Hé, je hebt niks over haar te zeggen, hoor!' riep Robbie.
Floor draaide zich om, maar voordat ze iets kon zeggen klonk Joshi's stem: 'Laat maar gaan.'

Suzanne probeerde na te denken, maar er zat weer pap in haar hoofd.
Wegrennen? Nee, er zat ook pap in haar benen. Ze schaamde zich kapot, voor iets wat ze niet eens had gedaan. De juf liep met grote, boze passen. Suzanne volgde langzaam, het karretje met zich meetrekkend.

De winkeldeur schoof open. De juf aarzelde, draaide zich om en ging op een muurtje voor de winkel zitten. Langzaam liep Suzanne naar haar toe.
De juf staarde voor zich uit. 'Ik kan even niet meer helder denken.'
'Hé, dat heb ik nou ook altijd!' zei Suzanne verrast.
'O ja?'
Suzanne ging ook op het muurtje zitten. 'Ja. Dan heb ik pap in mijn hoofd.'
'Ik stopverf,' zei de juf. 'Soms is het zo erg, dan weet ik mijn eigen telefoonnummer niet meer.'
Suzanne geloofde haar oren niet. 'Ik heb niks gestolen, hoor!' zei ze snel. Ze streek de verfrommelde bon glad en liet hem zien. 'Ik was het niet eens van plan.'
De juf maakte een geluid alsof er een ballon leegliep. 'Wat ben ik daar blij om,' zei ze. 'Waarom heb je dat niet meteen gezegd?'
'Omdat de anderen het niet mochten horen,' zei Suzanne zacht. 'We moesten iets verzinnen wat we durfden. En ik wist niks, vanwege die pap.'
'Vanwege die wat? O ja, stopverf!'
'Toen zei Robbie dat ik iets moest pikken. Iedereen zei dat ik dat niet durfde. Toen fluisterde Joshi dat ik gewoon moest betalen, en dan zeggen dat ik gejat had. Dan zou iedereen verliezen, behalve zij en ik.'
De juf moest lachen. 'Joshi moet in de politiek.'

'Zij verzint altijd van die leuke dingen,' vertelde Suzanne. 'Ik ben geloof ik haar vriendin. Ze heeft ook een broertje en een babyzusje. Ik mag voor ze zorgen van Joshi's moeder. Weet je juf, de baby wordt altijd rustig bij mij.'
'Dat kan ik me wel voorstellen,' zei de juf.
Suzanne werd warm van trots. 'Joshi's moeder zegt dat ik iets bijzonders heb, dat ik talent heb om met kinderen om te gaan.'
'Daar kun je later je beroep van maken.'
'Ik? Ik kan toch niet leren?'
'Waarom zeggen jullie dat toch steeds! Als je voor Joshi's zusje zorgt, dán heb je toch geen pap in je hoofd?'
'Helemaal niet, zelfs.'
'Nou dan! Je hoeft echt niet goed te zijn in rekenen om een huilende baby te kunnen troosten.'
Er klonk gejuich in Suzannes hoofd. 'Nee?' vroeg ze voorzichtig.
'Ik heb binnenkort een gesprek met je ouders,' ging de juf verder. 'Dan moeten we het daar maar eens over hebben.'
Van schrik liet Suzanne het karretje los. Dat begon langzaam te rijden, hobbeldebobbel richting het fietsenrek. Ze zagen hoe het ertegenaan botste. Het kratje rinkelde, maar bleef op het rek staan.

'Juf, mijn ouders weten niet dat ik bij Joshi ben geweest,' vertelde Suzanne verlegen.
De juf trok haar wenkbrauwen op.
'Ik mag na school namelijk niet met haar spelen, omdat ik steeds ergens heen moet. Naar paardrijden en naschoolse opvang enzo. Maar ik wil het zó graag. Dus... doe ik het stiekem. Joshi belt naar de clubs om te zeggen dat ik ziek ben. Maar dat vind ik weer zo zielig voor mijn vader en moeder.'
'Zielig?' vroeg de juf.
'Ja, dat ik lieg. En dat ik niet kan leren, dat vind ik ook zielig. Ze hadden zo graag een ander soort kind gehad.'
De juf zei niks.
'Snapt u?'
De juf knikte. 'Wat is jouw vaders beroep?'
'Chirurg,' zei Suzanne trots.
'En je moeder?'
'Die is hoofd van een computerbedrijf.'
'Zou je niet liever willen dat ze iets anders zijn? Wil je bijvoorbeeld niet dat je vader kok is? En je moeder zangeres?'
Suzanne moest lachen. 'Dat kunnen ze helemaal niet! En daar heb ik toch niets mee te maken?'
'Precies.' De juf stond op. 'Ik koop dat kratje van je en ik zal niks tegen je ouders zeggen. Op één voorwaarde.'

‘En dat is?’
‘Dat jij eerlijk tegen je vader en moeder zegt dat je met Joshi en de anderen wilt spelen. Je ouders moeten er maar aan wennen dat je het vanaf nu op jouw manier doet.’

‘Daar komt ze,’ klonk Tamars stem.
Met haar boodschappen, maar zonder het krat cola kwam Suzanne terug bij het bankje.
‘Kreeg je een preek?’ vroeg Robbie.
‘Nee,’ zei Suzanne. Ze was een beetje raar van het gesprek met de juf; ze had zin om héél hard rondjes te rennen, of om keihard tegen een voetbal te trappen. ‘Ik had hem namelijk niet gejat,’ zei ze zonder erbij na te denken. ‘Ik had hem gewoon betaald.’
Doodse stilte.
Toen begon Joshi te lachen, nee te schateren. ‘Dat is een goeie bak!’ riep ze.
En daarmee was de toon gezet. Iedereen lachte mee. Maar Maz was streng, de gewonnen kwartjes werden weer ingeleverd en opnieuw verdeeld.
‘We gaan naar mijn huis. Ga je mee?’ vroeg Joshi.
Suzanne keek op haar horloge. Ja, dat kon nog wel.

13

'Luister, allemaal.' Floor keek de klas rond. 'Ik wil een weddenschap met jullie afsluiten.'
In één klap had ze de volledige aandacht. 'Ik durf te wedden...'
Maz pakte zijn schriftje, Tamar ging zitten.
'Ik durf te wedden dat jullie niet zonder wedden kunnen.'
Glazig staarde iedereen haar aan. Alleen Nordin had het door, dat zag Floor aan zijn brede grijns.
'Zeg dat nou nog eens, juf?' vroeg Joshi.
'Niet meer wedden tot het einde van het schooljaar. Ik durf te wedden dat jullie dat niet kunnen.'
Niemand zei iets.
'Om hoeveel?' vroeg Robbie na een tijdje.
'Niet om geld. Voor de verliezer wordt een straf bedacht.'
'Tssss!' Francis siste vol minachting. Ze lag zoals gewoonlijk met haar hoofd op haar tafeltje. 'Als het niet lukt, moeten wij zeker weer rekenen of zoiets doms.'

Haar lamlendigheid irriteerde Floor. 'Er is al iets verzonnen, namelijk door het hoofd van de school. Als jullie nog één keer iets uithalen, nog één keer betrapt worden op wedden...'
'Worden we geschorst, wedden?' gokte Robbie.
'Nee, veel erger,' zei Floor. 'Dan worden jullie van school gestuurd.'
Ze had de reacties kunnen voorspellen. De meesten schrokken. Suzanne werd zelfs akelig wit.
Francis bleef gewoon liggen. 'Nou en?' mompelde ze. 'Lekker uitslapen.'
Maz was kwaad. 'Ik laat me echt niet chanteren! En al helemaal niet door Verkerk.'
'Jullie hebben het er zelf naar gemaakt!' Floor kruiste haar vingers. Ze móésten hierop ingaan, het was hun laatste kans.
'En als we het niet doen?' vroeg Robbie.
Floor werd boos. 'Luister, ik heb gesmeekt of Verkerk jullie alsjeblieft nog een kans wil geven. Nog één misstap en jullie vliegen eruit. Zo simpel ligt het.'
Ze keek voorzichtig naar Joshi.
Die leek er lol in te hebben. 'Maar als het ons wel lukt, wat dan?'
'Dan mogen jullie blijven, natuurlijk.'
'Nee,' riep Joshi. 'Ik bedoel: de verliezer wordt gestraft. Wat is de straf voor jou dan?'

O ja. 'Jullie mogen iets verzinnen. Ik zal zien of ik het accepteer,' antwoordde Floor. 'Dus: niet meer wedden, ook geen andere spelletjes om geld. Het is pauze, we praten straks verder.'

Van school gestuurd. Suzanne had van schrik buikpijn gekregen. Ze zou naar een andere school moeten en ze zou Joshi kwijtraken.
'Ze kunnen me niks maken,' zei Francis. 'Als ik van school word getrapt, ga ik in mijn moeders kapsalon werken.'
'Kun je lekker de rest van je leven haren vegen,' zei Mourad.
Francis haalde haar schouders op en blies een kauwgombel zo groot als een tennisbal.
'Mijn vader slaat me kreupel,' zei Maz.
'Ik moet denk ik naar een andere school,' zei Jimila.
Suzanne knikte. 'Ik moet naar een privé-school.' Meteen had ze spijt dat ze het gezegd had.
'Ja, jij past wel tussen die rijkeluiskindjes,' zei Robbie.
'Hou je bek!' riep Joshi meteen. 'Zij past daar helemaal niet! Zij hoort juist hier! Jij zit zelf altijd op te scheppen dat je zogenaamd zoveel poen hebt!'
Robbie mompelde iets onverstaanbaars. Suzanne stond stokstijf stil. Ja, ze hoorde hier, dat wist ze in-

eens verschrikkelijk zeker. Joshi leunde tegen de auto van Verkerk. De anderen gingen op het muurtje zitten.
'Maar het is chantage. Pure chantage.' Maz vond het blijkbaar een mooi woord.
'Nou en?' zei Joshi. 'Ik vind het wel een goeie bak van de juf!'
'Jij vindt alles een goeie bak,' mopperde Francis.
'Nou en? Kom, we gaan iets verzinnen.'
'Ze moet ons allemaal honderd gulden geven,' zei Robbie. Hij zat luid smakkend chips te eten.
'Heb je hem weer met zijn eeuwige geld.' Mourad keek hem vol minachting aan.
'Het moet wel iets leuks zijn,' zei Jimila. 'Erg maar leuk.'
'Alsof van school gestuurd worden zo leuk is,' antwoordde Robbie verontwaardigd.
'Dat heeft zij niet bedacht,' zei Joshi. 'Dat heeft die hi-ha-honde...'
'JONGEDAME!'
Met een purperrood hoofd beende Verkerk op zijn auto af. 'Ga eens bij die auto weg! Jij hebt echt geen greintje fatsoen in je donder, hè?'
Suzanne wilde het liefst haar vingers in haar oren stoppen. Joshi liet zoiets niet zeggen. Ze zou een brutaal antwoord geven en dan van school gestuurd worden.

'Oh, sorry meneer,' zei Joshi zacht.
Hè? dacht Suzanne.
Joshi wreef met haar mouw over de auto. 'Ik dacht er niet bij na.'
'Nee, dat vermoeden had ik al!' zei Verkerk. 'Nou, weg bij die auto.'
Als geslagen hondjes liepen ze het schoolplein op. Verkerk gromde nog wat en liep toen de school in.
'Oh, sorry meneer!' piepte Robbie.
Joshi gaf hem een schop onder zijn dikke achterwerk. 'Ik weet iets voor de weddenschap van de juf,' zei ze met fonkelende ogen.

'En?' Floor probeerde niet al te gretig te klinken. Het zijn beroepsgokkers, dacht ze. Aan hun gezichten valt niets af te lezen.
Joshi stond op. Zonder iets te zeggen overhandigde ze haar een papier. Floor vouwde het open. De prachtige letters van Maz dansten voor haar ogen, zo zenuwachtig was ze. Ze schraapte haar keel en las voor:
'Weddenschap tussen juffrouw Floor en acht b.
Acht b zal tot en met de laatste schooldag niet meer wedden. (En ook geen andere spelletjes om geld doen.) Als dit niet lukt heeft acht b verloren. Als dit wel lukt heeft de juf verloren.'
Opgelucht keek Floor op. Negen neutrale gezichten.

'Let op!' fluisterde Tamar tegen Black Beauty.
Floor las vlug verder:
'Straf voor acht b: ze worden van school getrapt door het hoofd van de school.
Straf voor de juf: ze moet het hoofd van de school...'
Geschokt hield ze op. 'Wát?'
Tamar schoot in de lach, de rest bleef strak kijken.
'...Ze moet het hoofd van de school vol op de mond zoenen.'
De gevulde koek van tussen de middag kwam onmiddellijk omhoog. Gadverrr! Verkerk met zijn natte paplippen! 'Dat... dat kan niet,' stamelde Floor.
Nu zat iedereen gemeen te grijnzen.
'U kunt uw handtekening op de stippellijn zetten!' riep Maz.
Floor kreunde. 'Kunnen jullie echt niks anders verzinnen?'
'Best,' zei Joshi royaal. 'Als jij ook een andere straf verzint.'
Floor pakte haar pen. 'En een kus op de wang?'
Nee, negen hoofden schudden nee.
Nog een keer las ze het contract door. Toen plaatste ze haar pen op de stippellijn, probeerde niet aan Verkerk te denken en zette een aarzelende handtekening. Maz kwam naar voren en zette die van hem er zwierig bij.
De weddenschap stond.

'Wat zie jij er zorgelijk uit.' Björn kwam de klas binnen, fris als altijd.
Floor steunde met haar hoofd in haar handen en staarde somber voor zich uit. 'Ik heb een probleem.' Ze vertelde van de weddenschap.
Björn reageerde enthousiast. 'Slim! Je verslaat ze met hun eigen wapens. Maar wat is nou het probleem?'
'Het probleem is dit.' Floor liet hem het contract zien.
Terwijl hij las ging Björns neus omhoog en vertrok zijn gezicht, alsof hij iets heel, heel smerigs at. Toen begon hij te grinniken. 'Die loshangende velletjes aan zijn lip,' mijmerde hij vol leedvermaak.
'Hou op,' zei Floor.
'En die gore tabakslucht...'
Floor gooide een krijtje naar zijn hoofd. 'Ik zou bijna hopen dat ze weer gaan wedden...'

14

'Niks aan zonder wedden,' zei Tamar.
Acht b hing weer rond bij het bankje in het winkelcentrum. Het was een hete dag, ze hadden al twee keer ijs gehaald.
'We doen het gewoon stiekem, ze heeft het toch niet door.' Robbie nam een grote hap van zijn ijsje.
'Nee!' riep Joshi. 'We gaan iets nieuws verzinnen. En hou op met dat gesmak.'
'Voor jou zeker,' zei Robbie.
'We kunnen gaan zwemmen,' stelde Nordin voor.
'Gad-ver-re-damme!' Francis trok een gezicht alsof ze moest overgeven.
'Naar de film!' zei Jimila.
Iedereen dacht na.
'Eentje met bloed,' zei Mourad. 'Dan ga ik mee.'
'Ik val flauw van bloed. Ik wil een film met zoenen.' Francis was languit op het bankje gaan liggen.
'Ik val flauw van zoenen,' zei Mourad.
Suzanne probeerde mee te denken. Wat deed ze vroe-

ger altijd? Ze had één vriendin met wie ze vaak ging tekenen en knutselen.
'Tekenen,' zei Maz.
'Tsss, tekenen!' Francis keek minachtend. 'Ja, we gaan sommen maken, nou goed?'
Oei, Suzanne was blij dat ze niks gezegd had.
'Dan niet.' Maz stond op en liep weg.
Zonder iets te zeggen keken ze hem na. Maz hield zijn handen in zijn zakken en schopte een steentje voor zich uit.
'Jij zit iedereen af te kraken!' snauwde Jimila ineens.
'Ja hoor, heb ik het weer gedaan.' Francis stak met een boos gezicht drie verse kauwgompjes in haar mond.
Suzanne keek naar Joshi. Waarom zei ze niets, waarom greep ze niet in?
'Kom op, we gaan gewoon kaarten om kwartjes,' zei Robbie. 'Dat mens kan de boom in.'
'Nee!' zei Joshi. 'Ik zeg toch dat we dat niet doen!'
Robbie keek haar uitdagend aan. 'En wat kan mij het schelen dat jij dat zegt?'
Joshi lachte spottend. 'De juf had gelijk, jij kunt niet zonder wedden.'
'Hij kan het heus wel, maar hij vindt er gewoon niks aan.' Jimila ging naast Robbie staan.
'Ik ga,' zei Suzanne zacht tegen Joshi. 'Ik moet over een halfuur thuis zijn.'

Met een ruk draaide Joshi zich naar haar toe. Haar ogen stonden ongewoon fel. 'Bel dan op! Dan zeg je: ik ben die kloteclubs van jullie zat. Ik ga lekker met mijn eigen vrienden spelen.'
'Durft ze niet,' zei Tamar. 'Wedden?'
'Hé!' riep iedereen.
'Oeps.' Tamar sloeg haar hand voor haar mond.
Joshi bleef naar Suzanne kijken. Suzanne schudde haar hoofd.
'Dan niet.' Joshi haalde haar schouders op. 'Je moeder schaamt zich voor ons. Daarom mag je niet met ons spelen. En daarom mag je niet met het busje mee, anders denken de buren dat je op een debielenschool zit.' Ze draaide zich om en wenkte. 'Kom, we gaan.'
Niemand protesteerde. Met zijn zevenen liepen ze weg, dicht bij elkaar.
Suzanne keek ze na. Nog nooit in haar leven had ze zich zo afschuwelijk gevoeld.

'En, hoe was het op school?' vroeg haar moeder toen ze thuis was.
Suzanne gaf geen antwoord, maar dat hoefde blijkbaar ook niet.
'Vanavond komen Pieter en Marianne eten,' zei haar moeder. 'Ik wilde forelletjes grillen en dan...'

'Mam!' Suzannes hart klopte in haar oren. 'Ik heb liever niet dat Pieter en Marianne komen.'
'Wat zeg je nou?'
'Dat zijn geen mensen voor jou,' zei Suzanne. 'Je moet meneer Kozijn en zijn vrouw vragen. Die zijn veel leuker. Die hebben betere manieren. Dan kun je toch ook gezellig kletsen?'
Haar moeder moest lachen. 'Meneer Kozijn!' Ze aaide Suzanne over haar hoofd en trok de ijskast open.
Ineens werd het Suzanne zwart voor de ogen. Ze ademde diep in, pakte de forelletjes en kieperde ze in de vuilnisemmer. 'Ik meen het hoor!'
'Hé, ben jij nou helemaal gek geworden!' gilde haar moeder.
Suzanne voelde de tranen stromen, maar ze ging door. 'Ik mag toch ook niet spelen met wie ik wil? Jij schaamt je dood voor mij omdat ik dom ben. Omdat ik op een debielenschool zit!' Ze huilde nu zo hard dat ze bijna niet meer kon praten. 'Ik wil met de kinderen uit mijn klas spelen en ik wil met het busje mee!' schreeuwde ze. Toen rende ze de keuken uit.

Ze aten spaghetti, zonder forelletjes, en zonder Pieter en Marianne. Suzannes moeder keek verdrietig. En haar vader bleef zijn hoofd schudden. Hij keek naar Suzanne alsof ze een buitenaards wezen was.

‘Wij hebben nu eenmaal het idee dat die kinderen wat minder goed bij jou passen,’ zei haar moeder.
‘Hoe wéét je dat nou!’ Suzanne zag sterretjes van kwaadheid. ‘Ik pas juist hartstikke goed bij ze!’
‘Zie je nu wat voor invloed ze op haar hebben? Met dat geschreeuw ineens!’ zei haar vader.
‘Laten we er maar over ophouden,’ zei haar moeder.
Suzanne wist precies wat er nu ging gebeuren, daar durfde ze zo een tientje op in te zetten. Haar ouders zouden doorpraten over een ander onderwerp en zij zou met een brok in haar keel verder eten en dan naar haar kamer gaan. En daar moest ze huilen, en dan zou haar moeder komen om te zeggen dat alles wel goed kwam.
En dat betekende goed op hún manier.
Ze roerde in haar spaghetti. Bah, het leken ineens witte wormen. Walgend schoof ze haar bord van zich af. Ze dacht aan Joshi die had gezegd: ‘Jouw moeder schaamt zich.’
Suzanne ging rechtop zitten en haalde diep adem. ‘Ruilen? Ik vraag iets van jullie en dan mogen jullie iets van mij vragen.’
‘Zeg, doe eens even normaal,’ zei haar moeder geërgerd.
‘Mijn vraag is: mag ik morgen bij Joshi spelen? Nu jullie.’

Haar moeder werd kwaad. 'Hou je grote mond en eet je bord leeg.'
'Dat zijn er twee.' Suzanne snapte zelf niet dat ze het durfde.
Haar vader legde zijn bestek neer. Hij zei niks, maar maakte een overduidelijke beweging met zijn hoofd: wegwezen!

15

Suzanne zat op haar bed. Ze aaide Santos, hun oude hond, die zuchtend mee naar boven was gelopen.
Oké, dan doe ik het stiekem, dacht ze. Dan blijf ik stiekem met ze spelen, en ik word later stiekem kinderverzorgster en dan word ik stiekem heel gelukkig.
Er werd zacht geklopt, haar vader kwam binnen.
Ik ga geen sorry zeggen, dacht Suzanne.
Hij kuchte. 'Misschien is het een goed idee als je je klasgenoten eens uitnodigt, zodat we kunnen kennismaken.' Hij knikte kort en verdween.

Suzannes vingers trilden zo erg, dat ze het nummer eerst een paar keer fout intoetste.
'Hoi!' Joshi kletste weer alsof er niets gebeurd was. 'Wat een rotmiddag, zeg! Iedereen kreeg ruzie, zelfs Jimila en Robbie. Aan het eind waren alleen Jimila, Nordin en ik nog over. Het kwam eigenlijk omdat we ons verveelden. We weten gewoon niks te doen zonder wedden. Dat kan ik niet uitstaan!'

'Wat gaan jullie morgen doen?' vroeg Suzanne voorzichtig.
'Weten we nog niet.'
'Hebben jullie zin om bij mij te komen spelen?'
'Wie. Wij?'
'Ja.'
'Bij jou thuis?'
'Ja.'
'Allemaal?'
'Ja.'
'Mij best! Hoe laat?'
Half één spraken ze af.

Ze kwamen op de fiets, alle acht tegelijk. Tamar had haar haren gekamd, zag Suzanne. Ze gaven Suzannes moeder een hand en Joshi zei zelfs: 'Aangenaam kennismaken.'
Haar moeder had een spijkerbroek aangetrokken. Ze lachte iets te hard en zei tegen Francis dat ze een gaaf petje had.
Gaaf!
Als een rijtje tamme ganzen liepen ze naar binnen. Suzannes vader kreeg ook van iedereen een hand.
'Zo jongelui!' zei hij.
Suzanne stond ernaar te kijken alsof het een film was waar ze zelf niet in meespeelde. Ze zeiden allemaal

dat ze het huis mooi vonden. Suzannes moeder vertelde dat ze net een nieuwe vloer hadden en dat die nu al kromtrok.
'Dan zitten er kwade geesten onder de grond,' zei Jimila.
'Het ruikt hier zo lekker,' zei Francis.
Suzannes moeder lachte. 'Ik heb een chocoladetaartje in de oven staan.'
'Chocoladetaart!' riep Robbie. 'Daar weet deze jongen wel raad mee!'
Ze gingen allemaal mee naar de keuken.
'Mooie keuken, mevrouw,' zei Maz. Hij raakte met Suzannes moeder in gesprek over knoflook. 'Ik doe het nooit in de pers. Je moet knoflook altijd snijden, met een scherp mes.'
Joshi luisterde naar wat hij zei, ondertussen hield ze Suzannes hand vast. Gewoon, zoals ze altijd deed. Suzanne zag dat haar moeder er snel even naar keek en daarna weer gewoon doorpraatte.
'Aaaaaah!' Tamar had Santos ontdekt. Ze viel op haar knieën bij hem neer en kriebelde liefdevol over zijn kop. 'Istiedaneenliefhondje?' zong ze in zijn oor. Santos snurkte van genot en ging gauw zo liggen dat Tamar overal goed bij kon. 'Watistiedanmijnzoeteschatje.'
Suzannes vader was in de deuropening komen staan.

'Hij is erg oud,' vertelde hij. 'In oktober wordt hij veertien en dat dus maal zeven...'
'Achtennegentig,' zei Nordin direct. 'Maar de vermenigvuldigingsfactor verschilt per ras.'
'Is dat zo?' vroeg Suzannes vader.
Goed zo Nordin, dacht Suzanne tevreden.
'Heb jij een eigen kamer?' vroeg Jimila.
Suzannes moeder keek verbaasd. 'Natu...' begon ze, maar ze maakte haar zin gelukkig niet af. 'Ik roep wel als de taart klaar is,' zei ze snel.
Terwijl ze de trap opliepen dacht Suzanne: ik ben op íedereen trots.
'Ik weet wat we gaan doen,' zei Joshi toen ze op Suzannes kamer waren. 'Alles moet donker. We gaan spookverhalen vertellen.'
Ze deden de gordijnen dicht en gingen met zijn negenen op de grond zitten, heel dicht tegen elkaar. Bijna iedereen kende wel een eng verhaal, maar Nordin bleek de kampioen. Dat kwam doordat hij veel griezelboeken las. Moordende babysitters, krakende grafkisten, rottend vlees... Alles haalde hij erbij, als het maar eng was.
'Oeps,' zei Tamar op een gegeven moment zachtjes. 'Ik heb een beetje geplast van de engheid.'
Joshi en Suzanne zaten onafgebroken hand in hand.
Toen Suzanne aan de beurt was, wist ze natuurlijk niks. Haar hersenen lagen stil.

'Zeg maar een woord, dan weet ik wel een verhaal,' zei Nordin.
'Hersenen,' zei ze snel.
Meteen begon Nordin te vertellen. Het was een verhaal van Roald Dahl over een vrouw die haar man haatte. Toen hij bijna dood was, had ze zijn hersenen in leven gehouden, met één oog eraan vast. En toen ging ze hem treiteren, bijvoorbeeld door rook in dat ene oog te blazen, terwijl ze van hem nooit had mogen roken. En dat oog ging dan woedend kijken.
Maz raakte Suzannes arm aan. 'Goed woord, hersenen!'
'Het is hartstikke leuk bij jou,' zei Jimila.
'Je ouders vallen best mee!' vond Joshi.
En dat was ook ongeveer wat Suzannes moeder na afloop zei. 'Ze vielen me reuze mee!'

16

'Ik open de vergadering.'
Verkerk zag er moe uit, zag Floor.
'We kunnen tevreden zijn over het afgelopen jaar,' zei hij. 'Tot ieders verbazing heeft zelfs groep acht b het einde van het schooljaar gehaald. We zullen ze met een opgelucht gevoel overdragen aan de middelbare school. En Floor kan aan de slag met de nieuwe groep acht.'
'Daar wil ik meteen op inhaken,' zei Floor. Iedereen keek haar aan. Ze voelde dat ze bloosde. 'Ik wil nog een jaar door met acht b. En wel op deze school.'
Het bleef vijf volle seconden doodstil. Toen schoot Mieke in de lach. 'Grapje, zeker?'
De anderen lachten onzeker mee. Björn bleef ernstig, Verkerk ook.
'Nee, ik meen het,' zei Floor. 'Er bestaat toch zoiets als een schakelklas? Een soort tussenklas, tussen de basisschool en de middelbare school. Ik denk echt dat ik ze aan het werk krijg als ik ze nog een jaar heb.'

Verkerk schudde zijn hoofd. 'Voor zo'n tussenklas moeten leerlingen een speciale test invullen. Daaruit kan blijken dat ze inderdaad nog een jaartje nodig hebben.'
Floor hield haar adem in. 'Dus...?'
'Dus het gaat niet door,' zei Verkerk. 'Want zo'n test maken ze niet. Dat vertikken ze.'
'Ik durf te we... Ik bedoel, ik weet zeker dat ze die test wel maken!' riep Floor.
Verkerk roerde geïrriteerd in zijn koffie.
Hij wil van ze af, dacht Floor met afschuw.
'Ze moeten leren hoe ze moeten leren,' zei ze zo rustig mogelijk. 'Ze vertrouwen mij een beetje.'
Björn nam een grote hap brood en begon te praten. 'Geef haar een kans,' zei hij, nog net verstaanbaar. 'Als ze die test serieus invullen, mag ze nog een jaar haar gang gaan.'
Iedereen keek afwachtend naar Verkerk. Die sloot vermoeid zijn ogen, zuchtte diep en maakte een vaag gebaar met zijn hand.
'Ik ga ervan uit dat dat "ja" betekent,' zei Floor met kloppend hart.

Het was een rustige ochtend. De jongens zaten te computeren. Ze deden geen spelletjes, maar probeerden een cd-rom van de juf uit. En toch vonden ze het

leuk. Tamar verschoonde het konijnenhok, de andere meiden waren samen met Maz sieraden aan het maken met spullen van handenarbeid.
'Moet je Maz zien,' riep Joshi. 'Die is echt goed!'
Hij was bezig met een haarspeld, mooier dan Suzanne ooit in een winkel had gezien.
Vlak voor de pauze stond de juf op. 'Luister allemaal, ik wil jullie iets belangrijks vertellen.'
'Ze is zwanger,' fluisterde Robbie.
'Aaaah,' zei Tamar.
De juf schraapte haar keel. 'Ik wil jullie graag nog een jaar hebben.'
Het werd doodstil.
'Wat zegt ze?' vroeg Jimila tenslotte aan Nordin.
'Dat ze ons nog een jaar wil hebben, geloof ik,' antwoordde Nordin aarzelend.
'Precies,' zei de juf. 'Er bestaat zoiets als een tussenklas, dat is een extra jaar tussen de basisschool en de middelbare school.'
Joshi keek bezorgd. 'U bent niet helemaal in orde, hoor! Niemand wil ons graag hebben.'
'Ik wel,' zei de juf.
'Maar waarom dan toch?' vroeg Mourad.
'Omdat ik wel wat in jullie zie. Ik wil jullie leren hoe je moet leren.'
'Wát wil ze?' fluisterde Jimila.

De bel voor de pauze ging, maar niemand reageerde. Mourad stak zijn vinger op. 'We hebben ons al opgegeven voor de middelbare school.'
'En daar gaan jullie weer niks doen, omdat jullie zogenaamd dom zijn,' zei de juf.
'Nou en?' zei Joshi.
De juf negeerde haar. 'Na de pauze krijgen jullie een speciale toets. Die moet je serieus maken, dan kan ik een werkplan opstellen voor volgend jaar.'
'Wérkplan? Ja, dag!' Francis schoof de kraaltjes aan de kant en legde haar hoofd op tafel.
Suzanne voelde haar buik samentrekken. Nog een jaar samen, dat zou ze ontzettend graag willen. Maar haar vader zou het nooit goedvinden, dat wist ze zeker.
'Wij máken geen toetsen meer.' Joshi klonk alsof ze het voor de honderdste keer moest vertellen.
'Jawel,' zei de juf streng. 'Dit is namelijk een ander soort toets. Het gaat erom dat ik iets over júllie te weten kom, niet om te weten wat jullie weten.'
'Nou, dat klinkt lekker duidelijk, zeg!' zei Joshi.
De juf moest lachen. 'Ik bedoel, je kunt geen fouten maken.' Ze keek naar Maz. 'Wat zou je liever willen worden: sieradenmaker of inpakker van dozen?'
'Inpakker natuurlijk,' zei Maz.
De juf zuchtte.

'Grapje,' zei Maz snel.
'Zulke vragen staan er dus in de toets,' legde de juf uit.
'Mag Black Beauty ook naar de tussenklas?' vroeg Tamar.
'Natuurlijk. En nu eruit allemaal. Het is pauze.'

Ze liepen opgewonden naar hun vaste plekje bij de parkeerplaats. Joshi ging op de grond zitten, dicht tegen Suzanne aan. Iedereen schreeuwde door elkaar.
'Ik vind het hartstikke aardig van de juf!'
'Ze is niet goed bij haar hoofd.'
'Nou en? Wij toch ook niet?'
'Ik ga echt geen toets maken, hoor!'
Joshi stond op. 'We maken hem, dan kunnen we volgend jaar lekker bij elkaar blijven,' zei ze vastbesloten.
Suzanne voelde een keiharde bal in haar maag.

De tafeltjes stonden ver uit elkaar, zodat spieken onmogelijk was. De papieren waren al uitgedeeld: drie vellen met vragen waarbij je als antwoord *a, b* of *c* kon aankruisen.
Suzanne voelde de paniek door haar lichaam razen.
'Ik kan dit niet,' fluisterde ze tegen Joshi.
'Doe dan gewoon allemaal *a*,' zei Joshi.
Met een op hol geslagen hart ging Suzanne zitten. Vijftig vragen, zag ze.

‘Lees eerst rustig de vraag,’ zei de juf. ‘Dan bekijk je de antwoorden en tenslotte kruis je er één aan.’
Francis zuchtte. ‘Het is hartstikke veel,’ mopperde ze.
‘Succes,’ zei de juf. ‘Jullie mogen beginnen.’
Het werd muisstil.
Suzanne sleep de punt van haar potlood en keek weer naar de papieren. Haar oren suisden.
Als je televisie kijkt, kijk je het liefst naar:
a: Een speelfilm
b: Muziekclips
c: Een serie
Tja... Suzanne keek graag naar soaps, antwoord *c* dus. Hoewel, een soap was natuurlijk ook een film, maar dan in heel veel delen. Misschien was het wel een strikvraag. Haar handen werden kleddernat. Ze keek om zich heen. Er waren weinig kinderen die de vragen lazen. Jimila gooide ijverig met een dobbelsteentje. Ze had er zelfs een viltje onder gelegd, zodat het geen herrie maakte. Joshi zat te pendelen. Robbie sloot telkens zijn ogen en prikte blind met zijn potlood een antwoord. Maz was al klaar, die zat op de achterkant van een vragenblad te tekenen. Alleen Nordin leek echt na te denken.
Suzanne keek weer naar haar papier. Allemaal *a*, had Joshi gezegd. Ze pakte haar potlood... Maar ja, mis-

schien waren net alle *a*'s fout, dit jaar. Ze legde haar potlood neer. Nog eens de vraag lezen.

Als je televisie kijkt...

Ze trok haar naam over: Suzanne Hindenstein.

Verder lezen!

Wat vind je het leukst om te doen? (of het minst vervelend)

a: Tekenen

b: Sporten

c: Lezen

Natuurlijk *a*. Ze pakte het potlood. Maar wacht, wat betekende 'of het minst vervelend'? Nog eens goed lezen. Of...Het...Minst...Vervelend. Ze keek rond. De juf liep naar Jimila toe en pakte het dobbelsteentje af. 'Lezen!' fluisterde ze.

Hetzelfde deed ze bij Joshi en haar pendeltje.

'Robbie, lezen!'

Er werd gezucht en kwaad gekeken, maar ze gingen de vragen lezen.

Zie je wel, dacht Suzanne, iedereen kan het.

Mocht ze als enige niet mee naar die tussenklas. En niet eens vanwege haar vader, maar omdat ze het weer eens een keer niet kon.

Ineens stond de juf achter haar. Ze pakte Suzannes hand die stijf om het potlood geklemd zat.

'Stop maar,' zei ze. 'Ik weet genoeg.'

17

'Ik heb de toetsen nagekeken,' zei de juf de volgende dag. 'Iedereen, behalve één iemand, zal worden toegelaten tot de tussenklas.'
Ik wil niet huilen, dacht Suzanne. Maar het deed zo'n pijn!
Toen hoorde ze Robbie roepen: 'Ja, Nordin! Heeft hij in het busje al verteld.'
De juf knikte. 'Nordin kan gewoon naar de havo. Ik ben gisteren bij hem thuis geweest. We zullen een rustige school uitzoeken met kleine klassen. Hij haalt het op zijn sloffen.'
'Nòòòrdin heeft de wereldcup, Nòòòrdin heeft de wereldcup,' zong Joshi.
Suzanne hield haar adem in. Dus... Als het niet mag van mijn vader, doe ik het gewoon stiekem, dacht ze meteen.
'Hoe gaat het eigenlijk met onze weddenschap?' vroeg de juf.
Er werd luid joelend gereageerd.

'Juf, misschien heeft Verkerk wel een besmettelijke lipziekte!' riep Robbie.
De juf kneep heel even haar ogen dicht. 'En wat doen jullie zoal zonder het wedden?' vroeg ze snel.
'Gisteren hebben we geesten opgeroepen met scrabble-letters,' vertelde Tamar.
'En?
'We hadden meteen contact,' zei Joshi. 'Met de dode oudtante van Jimila.'
De juf schoot in de lach. 'En wat was haar boodschap?'
'Ze zei steeds choco... choco...'
Iedereen kletste nu door elkaar.
Ik wil hier blijven, dacht Suzanne. Papa, alsjeblieft!

Zodra Suzannes vader de klas binnenstapte, werd Floor zenuwachtig. Deze man straalde gezag uit, je zag meteen dat hij gewend was dat iedereen naar hem luisterde. Hij keek met opgetrokken wenkbrauwen naar het konijnenhok en ging toen tegenover Floor zitten.
'Hindenstein!'
'Aangenaam, Floor Smid.'
Hij nam direct de leiding. 'Ik heb de brief ontvangen over uw voorstel voor een tussenklas. U wilt dus dat mijn dochter weer blijft zitten.'
'Nee,' zei Floor. 'U moet het zo zien...'

'Wij hebben Suzanne al opgegeven voor havo/vwo. Met extra bijlessen moet ze dat kunnen redden.'
Terwijl hij doorging over hard werken en doorzettingsvermogen, dacht Floor koortsachtig na. Het was nu of nooit, maar hoe?
'Meneer Hindenstein,' riep ze, dwars door zijn verhaal heen. 'Stel je voor, je houdt niet van dansen. Je kunt het ook niet. Absoluut niet. Je kunt geen maat houden en je beweegt als een houten klaas.'
Meneer Hindenstein probeerde haar te onderbreken, maar ze praatte hard door.
'En toch moet je dansen. Dag in dag uit. Je moet vijf dagen in de week naar een dansschool en je ouders vragen steeds of je lekker gedanst hebt.'
'Mevrouw Smid, ik denk...'
'Dan ga je dansen háten!' Floor schreeuwde nu bijna. 'En je kunt bijvoorbeeld heel goed rekenen, maar nee hoor, dansen moet je! En je moet ook nog eens met kinderen omgaan die heel goed kunnen dansen. Meneer Hindenstein, ik zal u vertellen, daar word je heel ongelukkig van. Dan ga je denken: ik ben niks waard, ik kan net zo goed dood zijn, want ik kan niet dansen.'
'Ik...'
'Terwijl er andere dingen zijn die je heel goed kunt. Maar daarin is niemand geïnteresseerd, want ze willen je alleen maar zien dansen.'

Eindelijk durfde ze even haar mond te houden. Ik lijk wel een dominee, dacht ze.
Meneer Hindenstein bleef ook stil.
'Suzanne schiet al in een stuip als ze een vel met vragen ziet. Dáár moet ze vanaf, daar wil ik het komende jaar aan werken,' vervolgde Floor. 'Misschien kan ze het écht niet. Daar moeten we ons dan bij neerleggen. Dan hebt u een dochter die niet zo goed kan leren. Maar gelukkig heeft ze genoeg andere talenten.'
Meneer Hindenstein keek haar peilend aan. Het leek wel of hij dacht: hoe kunnen ze deze gek nou voor de klas zetten?
Verpest, dacht Floor. Wat een stom verhaal over dat dansen. Sorry, Suzanne.
Het bleef lange tijd stil. Floor wist ineens niets meer te zeggen. Toen keek meneer Hindenstein op zijn horloge. 'Ik moet weer verder.' Hij gaf Floor een hand. 'Ik dank u voor dit... ongewone gesprek.'

'Ik wil niet naar de havo,' zei Suzanne. Ze zat op haar bed te bellen met Joshi.
'Dan ga je toch niet?' zei Joshi.
'Ik moet. Mijn vader is nu bij de juf om het te vertellen.'
Joshi dacht na. 'Dan gaan wij ook met zijn allen naar de havo. Vragen we of de juf ook meegaat!'

'Dat kan toch niet zomaar?'
'Natuurlijk wel. Alles kan zomaar!'
Er werd geklopt. 'Ik bel zo terug,' zei Suzanne snel.
Haar vader kwam binnen. Hij kuchte en pakte een knuffel van het bed. Suzanne zag tot haar verbazing dat hij zich niet op zijn gemak voelde.
'Niet slecht.' Hij wees met de knuffel naar een tekening van Black Beauty. Die had Maz gemaakt tijdens de toets. Suzanne had gevraagd of ze hem mocht hebben.
Haar vader schraapte nogmaals zijn keel. 'Je moeder en ik hebben besloten de keuze aan jou te laten.'
Het wilde weer eens niet doordringen. Tenminste, niet in haar hoofd, maar haar hart was al in galop.
'Dus... dat...'
'Dat betekent dat we instemmen met de tussenklas.'
Hij draaide zich om. 'We eten over een kwartiertje.'

18

De aller-allerlaatste schooldag!
'Suzanne, opschieten!'
Ze poetste snel haar tanden en rende naar beneden. De juf had dik verloren, ze hadden niet één keer meer gewed. Dat werd zoenen!
Haar vader stond in de gang zijn haar te kammen. Op dat moment werd er getoeterd. Ze reageerden eerst niet, maar toen werd er weer getoeterd, langer nu.
'Is meneer Kozijn zo vroeg?' Suzannes vader deed de deur open en liep naar buiten.
Hij kwam meteen terug. 'Het is voor jou.'
Verbaasd liep Suzanne naar buiten. Pal voor de deur stond het witte busje. Acht zwaaiende handen. De chauffeur gaf een vriendelijk knikje. Suzannes moeder kwam in de deuropening staan en keek alsof haar voortuin in brand stond.
'Mag het, mam?' vroeg Suzanne. 'Voor één keer?'
Toen stak Joshi haar hoofd uit het raam. 'Hé slome, kom je nog?'

Suzannes moeder zuchtte diep. 'Toe dan maar,' zei ze zacht.
Suzanne rende naar het busje en stapte in.
'Gas, ome Jan!' riep Joshi.
Ze reden langzaam de straat uit. Suzannes moeder was verdwenen, maar haar vader stond voor het raam. Hij stak één keer plechtig zijn hand op.
Suzanne zwaaide en lachte, een beetje hees omdat ze ineens een dikke keel had.

De aula was bomvol. Alle kinderen van de school waren aanwezig om de beide groepen acht te feliciteren.
Acht b zat vooraan, keurig, als modelleerlingen op een rijtje op de bank. Floor probeerde niet te vaak naar Verkerk te kijken. Hij zag grauw van vermoeidheid. Björn liep rond met microfoondraden, hij droeg voor de verandering een spijkerbroek.
Francis stootte Floor aan, keek naar Verkerk en likte met haar tong over haar lippen.
'Hou op!' siste Floor.
'Juf, zal ik hem een kauwgompje aanbieden?' fluisterde Joshi. 'Of een pepermuntje?'
'Ssst!' Floor kreeg het steeds warmer. Ze had beloofd dat ze het na de toespraak zou doen.
Verkerk klopte op de microfoon. 'Jongens en meisjes.'

Floor kon zich niet op zijn toespraak concentreren. Wat heb ik mezelf aangedaan, dacht ze paniekerig. Zijn mond was vandaag nog bruiner en natter dan anders. Ze had besloten dat ze hem zou zoenen om hem te feliciteren met het mooie schooljaar. De derde zoen zou op zijn mond terechtkomen. Alsof het per ongeluk was.

'...mooie prestaties van álle groepen, ik zeg met nadruk...' ging Verkerk verder.

Acht b zat nu schaamteloos te giechelen. Mourad deed op zijn hand voor hoe Verkerk zou zoenen, Floor wendde snel haar hoofd af.

Ineens werd het stil.

Verkerk veegde over zijn voorhoofd. 'Momentje,' mompelde hij.

Het gaat niet goed met hem, dacht Floor.

Björn rende naar voren, Verkerk mompelde iets tegen hem en liep toen weg, ondersteund door Björn.

'Meneer Verkerk is onwel geworden,' zei Mieke de Graaf in de microfoon. 'Ga allemaal rustig naar je klas.'

Floor blies van opluchting een lange adem uit.

Alsof het Floors schuld was, zo verontwaardigd was acht b. Ze stonden met zijn allen rond haar bureau en riepen de ergste beschuldigingen.

'Je hebt gif in zijn koffie gedaan!' schreeuwde Robbie.
Floor moest lachen, ze kon het niet laten. 'Niks aan te doen!' riep ze vrolijk.
'We gaan met zijn allen op ziekenbezoek en dan doe je het daar,' riep Joshi.
Eindelijk kalmeerden ze en gingen sputterend zitten. Floor wilde een preek gaan houden over hoe goed acht b zich gedragen had en hoe trots ze op hen was, maar Björn kwam binnen.
'Juffrouw Smid, mag ik even storen?' vroeg hij beleefd. 'Meneer Verkerk is inderdaad ziek geworden. Jullie krijgen natuurlijk wel je rapport.'
'Komt hij terug?' vroeg Jimila.
Björn schudde zijn hoofd. 'Hij blijft lekker thuis, het is toch bijna vakantie.'
Floor hoorde Joshi binnensmonds vloeken.
'Nu is het zo,' ging Björn verder, 'dat ik meneer Verkerk heb aangeboden om zijn zaken zolang waar te nemen.' Hij liep naar het bureau van Floor. 'Dus, als het ware...' Hij kwam nog een stap dichterbij. '...Is het zo, dat ik nu het hoofd van de school ben.'
Nordin lachte en floot op zijn vingers.
'Wacht... eens... even...' zei Joshi langzaam.
Floor werd ineens zo licht in haar hoofd, dat ze bang was dat ze van haar stokje zou gaan. Ze zag alleen

nog maar zijn ogen, met pretlichtjes erin. En die ogen kwamen steeds dichterbij.
Acht b begon te joelen.
Floor sloot haar ogen en voelde zijn lippen. Wat je beloofd hebt, moet je ook doen, dacht ze nog, terwijl ze haar hart in haar oren voelde dreunen. Vaag hoorde ze de stemmen van acht b op de achtergrond.
'Die gaan trouwen,' juichte Joshi.
'Nee, samenwonen,' zei Suzanne. 'Wedden?'
Maz grijnsde. Hij gaf haar een knipoog en pakte zijn schriftje.